漢検 4級 〔書き込み式〕 問題集

高橋書店

本書の特長と使い方

この本は漢検４級によく出る問題を分析し、ミニテスト形式で対策できる問題集です。

１回分は、見開き２ページ、10分で終わるようにまとめました。気軽に始められ、すぐに結果が見えるから、部活や塾で忙しい人や、漢字の勉強が苦手な人にも解きやすい構成になっています。

複数ジャンルを一度に解けるから
実戦に強い！

問題は10年分を分析し「でる順」
で配置。効率的に対策できる

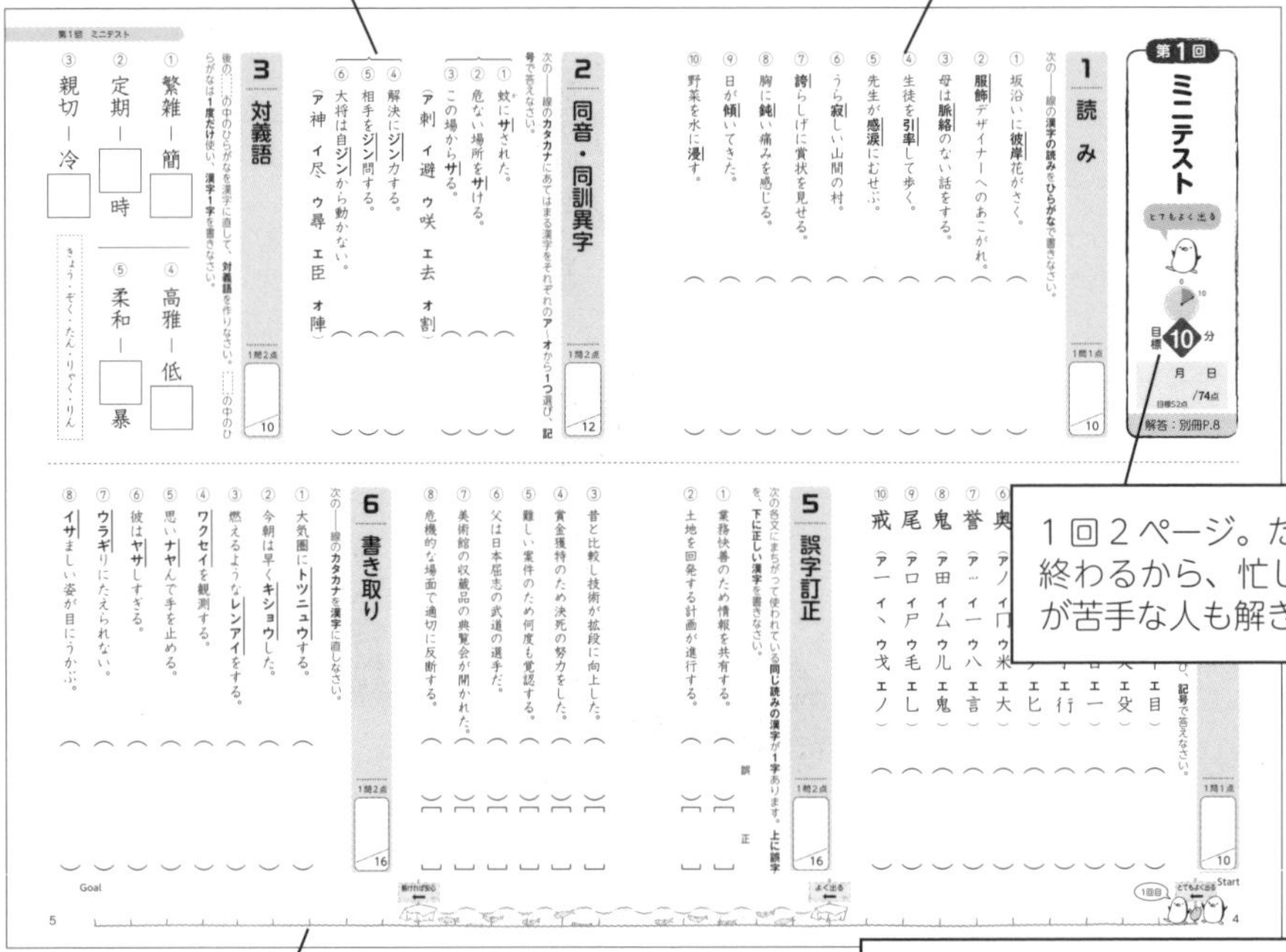

１回２ページ。たった10分で
終わるから、忙しい人や漢字
が苦手な人も解きやすい

たのしく進捗管理できる
おまけイラストつき

・模擬テスト７回分
・４級新出漢字表
・分野別よく出る問題リスト　など
　合格に役立つ項目もたっぷり収録！

漢字検定４級〔書き込み式〕問題集　目次

編集協力 ………… 株式会社　エディット

株式会社　アクト

株式会社　スマートゲート

イラスト ………… 馬場俊行

校　　正 ………… 株式会社　鷗来堂

※本書は2020年発刊の『漢検4級〔書き込み式〕問題集』を最新出題傾向に合わせてリニューアルした改訂版です。

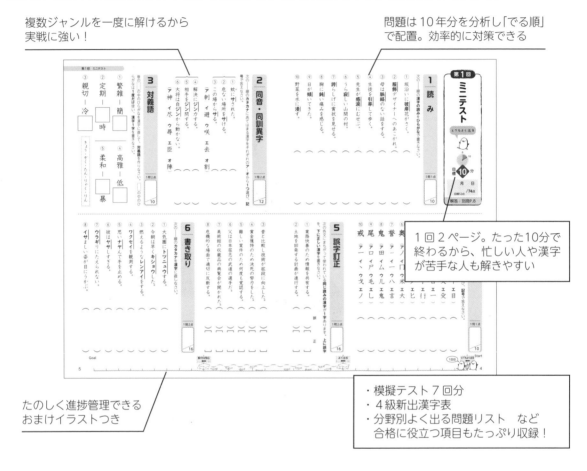

第１章

でる順で解ける ミニテスト

ミニテストの使い方

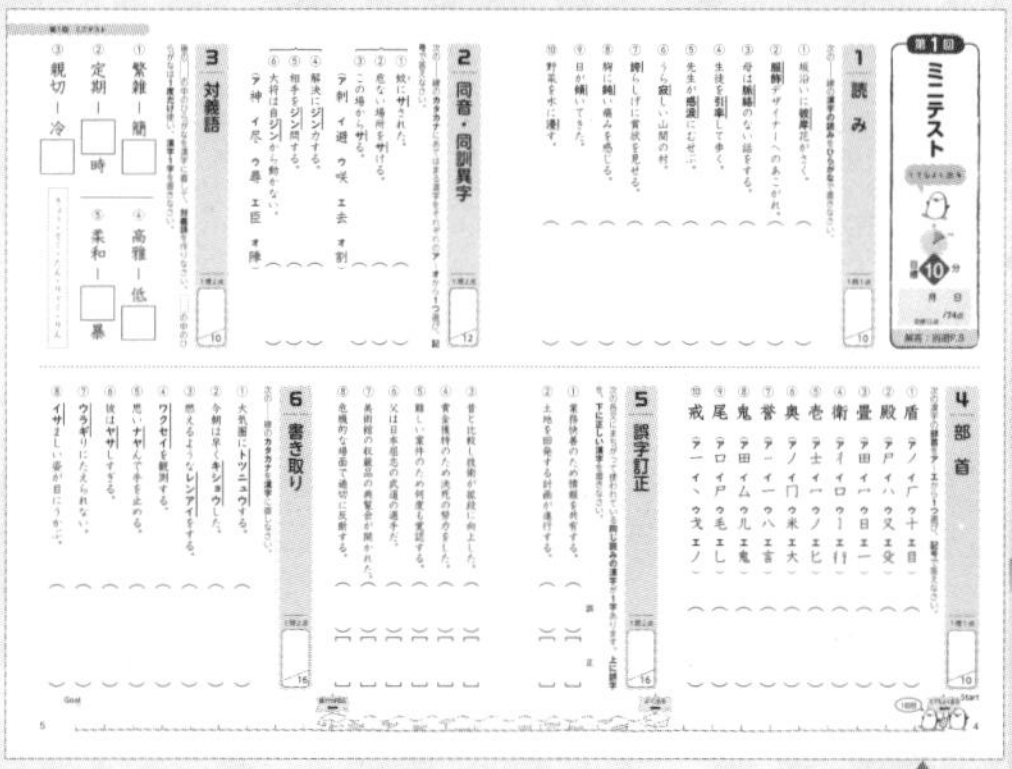

◀ミニテストを解いてみよう

出る順で解けるミニテスト。実際の試験を参考に、複数の分野を1回の試験で対策できるように構成しました。

各回の制限時間は10分。わからない問題は飛ばして、サクサク進めるのがポイント！

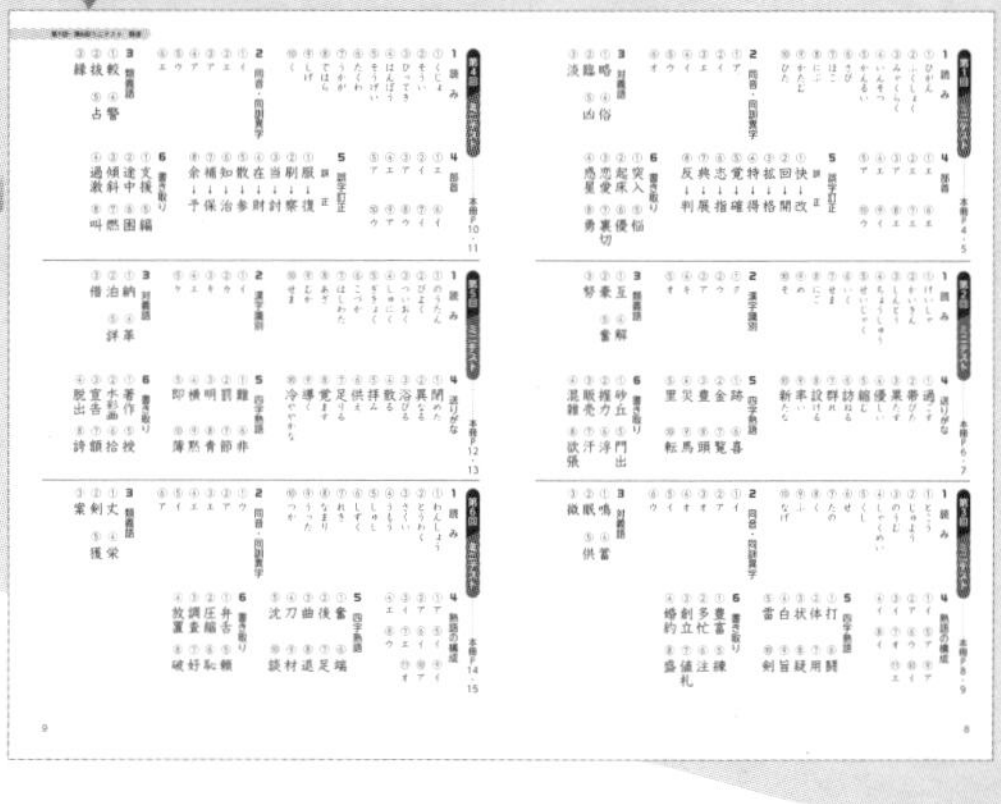

別冊解答で答え合わせ▶

まちがえた問題や飛ばした問題に印をつけて、しっかり復習しましょう。

あいまいな漢字は、新出漢字表（別冊 P.2）でチェック。採点表に点数を書き込めば、弱点分野が見えてきます。

第1回 ミニテスト

とてもよく出る

目標 10 分

月　日

/74点　目標52点

解答：別冊P.8

1 読み

次の——線の**漢字の読み**を**ひらがな**で書きなさい。

1問1点　/10

① 坂沿いに**彼岸**花がさく。（　　）
② **服飾**デザイナーへのあこがれ。（　　）
③ 母は**脈絡**のない話をする。（　　）
④ 生徒を**引率**して歩く。（　　）
⑤ 先生が**感涙**にむせぶ。（　　）
⑥ うら**寂**しい山間の村。（　　）
⑦ **誇**らしげに賞状を見せる。（　　）
⑧ 胸に**鈍**い痛みを感じる。（　　）
⑨ 日が**傾**いてきた。（　　）
⑩ 野菜を水に**浸**す。（　　）

4 部首

次の漢字の**部首**を**ア〜エ**から**1つ**選び、**記号**で答えなさい。

1問1点　/10

① 盾（ア ノ　イ 厂　ウ 十　エ 目）（　　）
② 殿（ア 尸　イ 八　ウ 又　エ 殳）（　　）
③ 畳（ア 田　イ 冖　ウ 日　エ 一）（　　）
④ 衛（ア 彳　イ 口　ウ 亅　エ 行）（　　）
⑤ 壱（ア 士　イ 冖　ウ ノ　エ 匕）（　　）
⑥ 奥（ア ノ　イ 冂　ウ 米　エ 大）（　　）
⑦ 誉（ア ⺍　イ 一　ウ 八　エ 言）（　　）
⑧ 鬼（ア 田　イ ム　ウ 儿　エ 鬼）（　　）
⑨ 尾（ア 口　イ 尸　ウ 毛　エ し）（　　）
⑩ 戒（ア 一　イ 丶　ウ 戈　エ ノ）（　　）

5 誤字訂正

次の各文にまちがって使われている**同じ読みの漢字**が**1字**あります。**上に誤字**を、**下に正しい漢字**を書きなさい。

1問2点　/16

誤　正

① 業務快善のため情報を共有する。（　　）［　　］
② 土地を回発する計画が進行する。（　　）［　　］

Start　とてもよく出る　1回目　よく出る

2 同音・同訓異字

1問2点　／12

次の――線のカタカナにあてはまる漢字をそれぞれの**ア**～**オ**から**1つ**選び、**記号**で答えなさい。

① 蚊《か》に**サ**された。（　）
② 危ない場所を**サ**ける。（　）
③ この場から**サ**る。（　）

（**ア** 刺　**イ** 避　**ウ** 咲　**エ** 去　**オ** 割）

④ 解決に**ジン**力する。（　）
⑤ 相手を**ジン**問する。（　）
⑥ 大将は自**ジン**から動かない。（　）

（**ア** 神　**イ** 尽　**ウ** 尋　**エ** 臣　**オ** 陣）

3 対義語

1問2点　／10

後の[ ]の中のひらがなを漢字に直して、**対義語**を作りなさい。[ ]の中のひらがなは**1度だけ**使い、**漢字1字**を書きなさい。

① 繁雑―簡□
② 定期―□時
③ 親切―冷□
④ 高雅―低□
⑤ 柔和―□暴

[きょう・ぞく・たん・りゃく・りん]

---

③ 昔と比較し技術が拡段に向上した。（　）［　］
④ 賞金獲特のため決死の努力をした。（　）［　］
⑤ 難しい案件のため何度も覚認する。（　）［　］
⑥ 父は日本屈志の武道の選手だ。（　）［　］
⑦ 美術館の収蔵品の典覧会が開かれた。（　）［　］
⑧ 危機的な場面で適切に反断する。（　）［　］

6 書き取り

1問2点　／16

次の――線の**カタカナ**を**漢字**に直しなさい。

① 大気圏に**トツニュウ**する。（　）
② 今朝は早く**キショウ**した。（　）
③ 燃えるような**レンアイ**をする。（　）
④ **ワクセイ**を観測する。（　）
⑤ 思い**ナヤ**んで手を止める。（　）
⑥ 彼は**ヤサ**しすぎる。（　）
⑦ **ウラギ**りにたえられない。（　）
⑧ **イサ**ましい姿が目にうかぶ。（　）

Goal

解ければ安心

第2回
ミニテスト
とてもよく出る
目標 10 分
月　日
/86点 目標61点
解答：別冊P.8

1 読み
次の――線の漢字の読みをひらがなで書きなさい。
1問1点 /10

① 家の**傾斜**がひどい。（　　）
② **皆勤**手当がなくなる。（　　）
③ 若者の文化が**浸透**した。（　　）
④ 給食費を**徴収**する。（　　）
⑤ 教室が**静寂**に包まれる。（　　）
⑥ **幾**つも例を挙げる。（　　）
⑦ **狭**い道を進んでいく。（　　）
⑧ 水が**濁**っている。（　　）
⑨ お気に**召**さないようだ。（　　）
⑩ 主人の横に**添**う。（　　）

4 送りがな
次の――線のカタカナを漢字1字と送りがな（ひらがな）に直しなさい。
1問2点 /20

① 楽しい時を**スゴス**。（　　）
② 悲しみを**オビタ**表情だ。（　　）
③ チームが決勝進出を**ハタス**。（　　）
④ 心から**ヤサシイ**人だった。（　　）
⑤ 毛糸の服は洗うと**チヂム**。（　　）
⑥ 祖母の家を**タズネル**。（　　）
⑦ ヌーの**ムレ**が移動する。（　　）
⑧ 特別ルールを**モウケル**。（　　）
⑨ 兵を**ヒキイ**て都に上る。（　　）
⑩ **アラタナ**人物が登場する。（　　）

5 四字熟語
次の四字熟語の――線のカタカナを漢字に直し、2字を書きなさい。
1問2点 /20

① この城は名所旧**セキ**だ。（　　）
② 父の教えを**キン**科玉条とする。（　　）
③ 今年の**ホウ**年満作を願う。（　　）

Start
とてもよく出る
魚取ってくる
2回目
よく出る

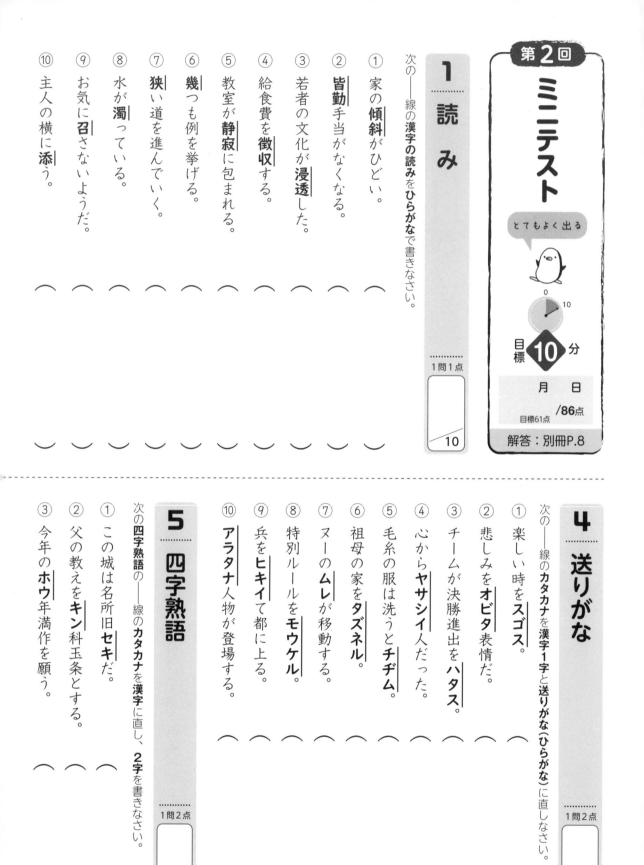

2 漢字識別

次の3つの□に**共通する漢字**を入れて熟語を作りなさい。漢字は□から**1つ**選び、**記号**で答えなさい。

1問2点　/10

① □力・手□・□前
② 退□・□難・回□
③ 強□・□火・□風
④ 額□・□談・□日
⑤ □出・□衣・離□

ア 烈　イ 走　ウ 避　エ 院　オ 脱
カ 目　キ 縁　ク 腕　ケ 盗　コ 遠

①（　）②（　）③（　）④（　）⑤（　）

3 類義語

後の□の中のひらがなを漢字に直して、**類義語**を作りなさい。□の中のひらがなは**1度だけ**使い、**漢字1字**を書きなさい。

1問2点　/10

① 対等—□角
② 長者—富□
③ 精進—□力
④ 釈明—弁□
⑤ 熱狂—興□

かい・ご・ごう・ど・ふん

④ 天**サイ**地変に備える。
⑤ 先が見えず五**リ**霧中だ。
⑥ 知らせに狂**キ**乱舞した。
⑦ 彼は博**ラン**強記と名高い。
⑧ **ズ**寒足熱を大事に守る。
⑨ 力士の牛飲**バ**食ぶりに驚く。
⑩ 起承**テン**結をはっきりさせる。

④（　）⑤（　）⑥（　）⑦（　）⑧（　）⑨（　）⑩（　）

6 書き取り

次の——線の**カタカナ**を**漢字**に直しなさい。

1問2点　/16

① 海沿いに**サキュウ**が続く。
② 手の**アクリョク**が強い。
③ 新商品を**ハンバイ**する。
④ **コンザツ**が予想される。
⑤ 親友の**カドデ**に立ち会う。
⑥ 紙が水の上に**ウ**いている。
⑦ 気温が高くて**アセ**が流れる。
⑧ **ヨクバ**りの本性がでる。

①（　）②（　）③（　）④（　）⑤（　）⑥（　）⑦（　）⑧（　）

Goal

解ければ安心

第3回
ミニテスト

とてもよく出る

目標10分

月　日

/90点
目標63点

解答：別冊P.8

1 読み

1問1点　/10

次の――線の**漢字の読み**を**ひらがな**で書きなさい。

① 五月にアメリカに**渡航**する。（　　）
② **需要**のある商品だ。（　　）
③ **濃霧**の中をさまよう。（　　）
④ 今までのことを**釈明**する。（　　）
⑤ 技術を**駆使**する。（　　）
⑥ 相手に**背**を向ける。（　　）
⑦ 友人の**頼**みを聞く。（　　）
⑧ 別れを**繰**り返す。（　　）
⑨ 財産を**殖**やしてきた。（　　）
⑩ 自分のあやまちを**嘆**く。（　　）

4 熟語の構成

1問2点　/22

熟語の構成のしかたには次のようなものがあります。

ア　同じような意味の漢字を重ねたもの　（例…**岩石**）
イ　反対または対応の意味を表す字を重ねたもの　（例…**高低**）
ウ　上の字が下の字を修飾しているもの　（例…**洋画**）
エ　下の字が上の字の目的語・補語になっているもの　（例…**着席**）
オ　上の字が下の字の意味を打ち消しているもの　（例…**非常**）

①～⑪の**熟語**は、右の**ア～オ**のどれにあたるか、**1つ**選び、**記号**で答えなさい。

① 栄枯（　）
② 歌謡（　）
③ 首尾（　）
④ 経緯（　）
⑤ 遊戯（　）
⑥ 樹齢（　）
⑦ 未踏（　）
⑧ 送迎（　）
⑨ 平凡（　）
⑩ 優劣（　）
⑪ 禁煙（　）

5 四字熟語

1問2点　/20

次の**四字熟語**の――線の**カタカナ**を**漢字**に直し、**2字**を書きなさい。

① 鳥のむれを一網**ダ**尽にする。（　　）
② 絶**タイ**絶命のピンチだ。（　　）
③ 現**ジョウ**維持に努める。（　　）

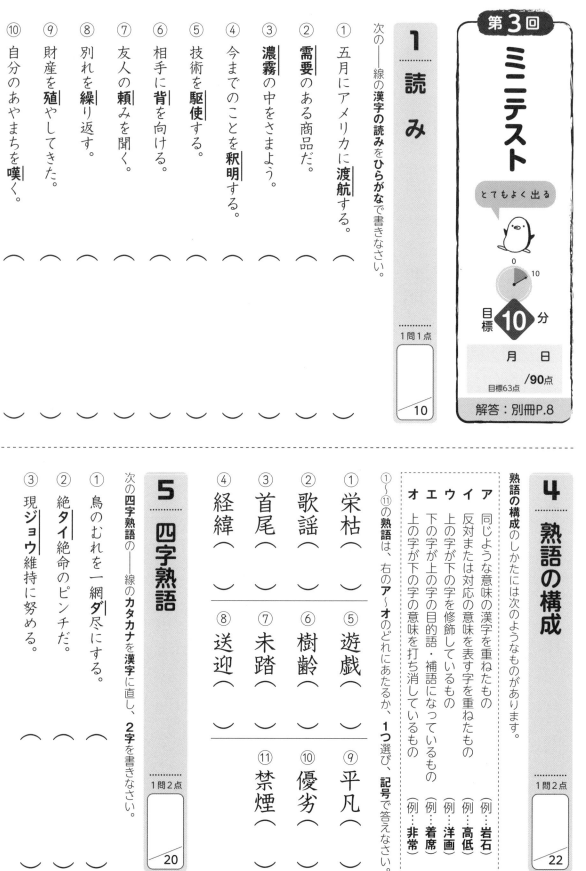

2 同音・同訓異字

1問2点　/12

次の——線の**カタカナ**にあてはまる漢字をそれぞれの**ア**～**オ**から**1つ**選び、**記号**で答えなさい。

① **キョ**出金を数える。（　）
② **キョ**人のようにそびえたつ。（　）
③ 賛成の人が**キョ**手した。（　）
（**ア** 巨　**イ** 拠　**ウ** 許　**エ** 居　**オ** 挙）

④ 向こうが**ス**けている。（　）
⑤ 山の空気は**ス**んでいる。（　）
⑥ ここを長く**ス**む家にする。（　）
（**ア** 吸　**イ** 澄　**ウ** 住　**エ** 捨　**オ** 透）

3 対義語

1問2点　/10

後の□の中のひらがなを漢字に直して、**対義語**を作りなさい。□の中のひらがなは**1度だけ**使い、**漢字1字**を書きなさい。

① 歓声 — 悲□
② 誕生 — 永□
③ 巨大 — □細
④ 消費 — 貯□
⑤ 需要 — □給

きょう・ちく・び・みん・めい

④ 青天**ハク**日の身となった。（　）
⑤ 付和**ライ**同の人は苦手だ。（　）
⑥ 選手は**トウ**志満々だ。（　）
⑦ 問答無**ヨウ**で決断する。（　）
⑧ 彼の話を半信半**ギ**で聞く。（　）
⑨ 論**シ**明快な資料だ。（　）
⑩ 真**ケン**勝負に臨む。（　）

6 書き取り

1問2点　/16

次の——線の**カタカナ**を**漢字**に直しなさい。

① **ホウフ**な資源がある。（　）
② 仕事で**タボウ**な毎日だ。（　）
③ **ソウリツ**五周年になる。（　）
④ 幼なじみと**コンヤク**した。（　）
⑤ 今後の作戦を**ネ**る。（　）
⑥ 火に油を**ソソ**ぐ事態だ。（　）
⑦ 商品から**ネフダ**をはがす。（　）
⑧ 器にご飯をたくさん**モ**る。（　）

第4回 ミニテスト

とてもよく出る

目標 10 分

月　日

/74点

目標52点

解答：別冊P.9

1 読み

次の——線の**漢字の読み**を**ひらがな**で書きなさい。

1問1点 /10

① マムシを**駆除**する。
② その答えで**相違**ない。
③ 名人に**匹敵**する力がある。
④ **繁忙**期で人手が足りない。
⑤ 宿が客の**送迎**をする。
⑥ 旅行のお金を**蓄**える。
⑦ じっくり話を**伺**う。
⑧ みんな**出払**っている。
⑨ 草木の**茂**る庭園を散歩する。
⑩ **朽**ちた木がある。

4 部首

次の漢字の**部首**を**ア〜エ**から**1つ**選び、**記号**で答えなさい。

1問1点 /10

① 影（ア 日　イ 亠　ウ 小　エ 彡）
② 裁（ア 土　イ 衣　ウ 一　エ 戈）
③ 床（ア 广　イ 亠　ウ 丿　エ 木）
④ 朱（ア 丿　イ 二　ウ 丨　エ 木）
⑤ 曇（ア 日　イ 雨　ウ 二　エ 厶）
⑥ 玄（ア 亠　イ 玄　ウ 幺　エ 厶）
⑦ 載（ア 土　イ 車　ウ 丿　エ 戈）
⑧ 項（ア 工　イ 目　ウ 頁　エ 八）
⑨ 疲（ア 疒　イ 丿　ウ 又　エ 皮）
⑩ 扇（ア 一　イ 尸　ウ 戸　エ 羽）

5 誤字訂正

次の各文にまちがって使われている**同じ読みの漢字**が**1字**あります。**上に誤字**を、**下に正しい漢字**を書きなさい。

1問2点 /16

誤　正

① 入院の必要な病状から回服した。
② 真実を見極める観刷眼を得る。

2 同音・同訓異字

1問2点　／12

次の――線のカタカナにあてはまる漢字をそれぞれのア～オから1つ選び、記号で答えなさい。

① 不動産の仲カイをする。（　）
② カイ勤賞をもらう。（　）
③ ビルを破カイする。（　）
（ア 壊　イ 介　ウ 戒　エ 皆　オ 回）

④ 現場の指揮をトる。（　）
⑤ 投げたボールをトる。（　）
⑥ 塩が水にトける。（　）
（ア 執　イ 留　ウ 捕　エ 溶　オ 採）

3 類義語

1問2点　／10

後の［　］の中のひらがなを漢字に直して、類義語を作りなさい。［　］の中のひらがなは1度だけ使い、漢字1字を書きなさい。

① 対照－比□
② 屈指－□群
③ 親類－□者
④ 用心－□戒
⑤ 専有－独□

［えん・かく・けい・せん・ばつ］

③ 入念に検当した結果、見送られた。（　）［　］
④ 自治体が在源の確保に苦労する。（　）［　］
⑤ 友人の挙式に散列して感激した。（　）［　］
⑥ 祖父は難病の知療に専念している。（　）［　］
⑦ 文書を補存する仕組みを作成した。（　）［　］
⑧ 余断を許さぬ情勢で油断できない。（　）［　］

6 書き取り

1問2点　／16

次の――線のカタカナを漢字に直しなさい。

① 難民をシエンする（　）
② トチュウで席を立つ。（　）
③ 急なケイシャを上る。（　）
④ カゲキな発言をする。（　）
⑤ 彼女がセーターをアむ。（　）
⑥ 突然の事態にコマる。（　）
⑦ 紙がめらめらとモえる。（　）
⑧ 助けを求めてサケぶ。（　）

Goal

解ければ安心

第5回 ミニテスト

とてもよく出る

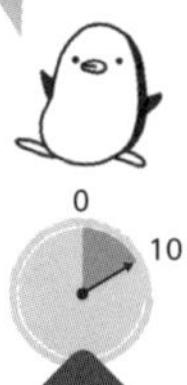

目標 10分

月　日

/86点　目標61点

解答：別冊P.9

1 読み

1問1点　/10

次の——線の**漢字の読み**を**ひらがな**で書きなさい。

① デッサンに**濃淡**をつける。（　　）
② 美しい**尾翼**の飛行機だ。（　　）
③ **追憶**を呼び起こす絵だ。（　　）
④ 印鑑に**朱肉**をつける。（　　）
⑤ **戯曲**を見に行く。（　　）
⑥ 息子に**小遣**いをやる。（　　）
⑦ 二人の**橋渡**しをする。（　　）
⑧ **鮮**やかな赤色だ。（　　）
⑨ 息子を**迎**えに行く。（　　）
⑩ 期限が**迫**ってくる。（　　）

4 送りがな

1問2点　/20

次の——線の**カタカナ**を**漢字1字**と**送りがな（ひらがな）**に直しなさい。

① そっとドアを**シメタ**。（　　）
② 家からの**コトナル**二人だ。（　　）
③ シャワーを**アビル**。（　　）
④ 桜の花びらが**チル**。（　　）
⑤ 仏様を**オガミ**続ける。（　　）
⑥ 神様にお**ソナエ**物をする。（　　）
⑦ 食事の量が**タリル**。（　　）
⑧ 急に目を**サマス**。（　　）
⑨ 聖人が迷い人を**ミチビク**。（　　）
⑩ **ヒヤヤカナ**目で見る。（　　）

5 四字熟語

1問2点　/20

次の**四字熟語**の——線の**カタカナ**を**漢字**に直し、**2字**を書きなさい。

① 七**ナン**八苦を切りぬけた。（　　）
② 信賞必**バツ**を徹底《てってい》する。（　　）
③ 山紫水**メイ**の地で時を過ごす。（　　）

Start

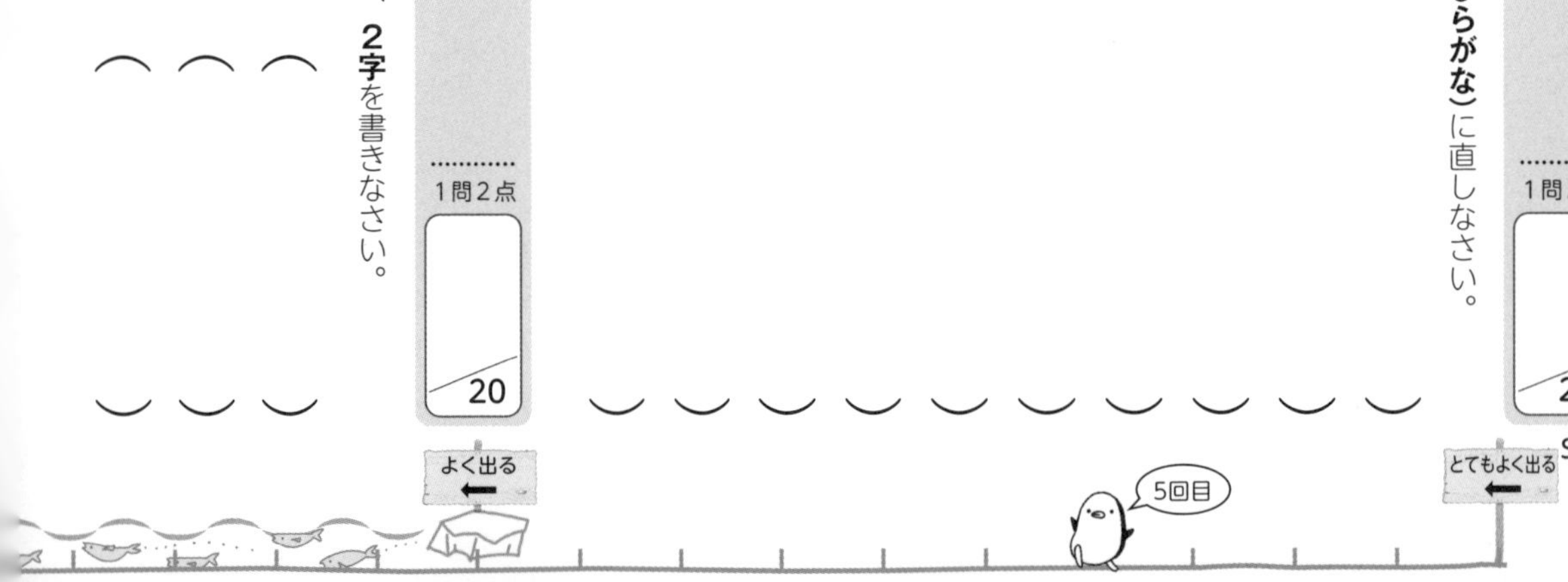

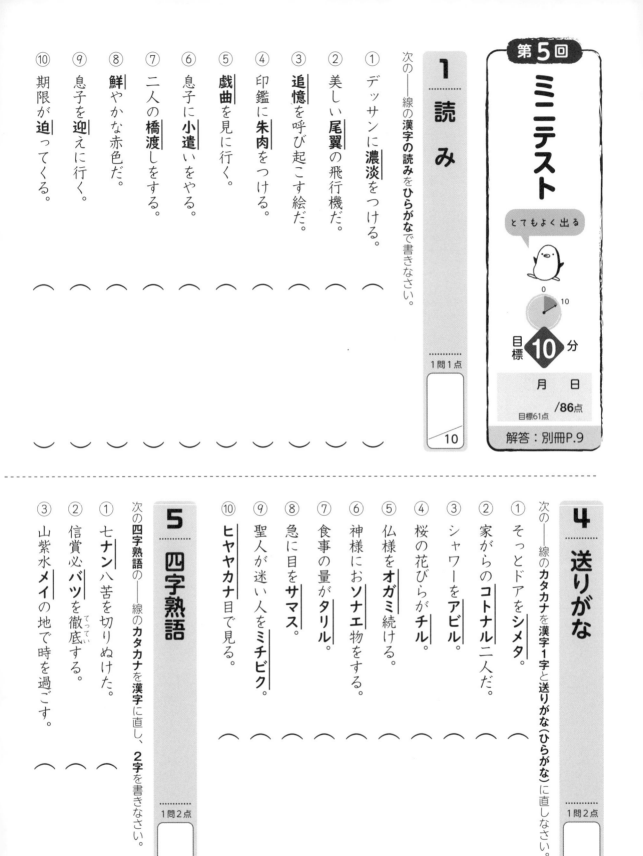

2 漢字識別

次の3つの□に**共通する漢字**を入れて熟語を作りなさい。漢字は[　]から**1つ**選び、**記号**で答えなさい。

1問2点　/10

① 迷□・当□・困□
② □礼・□約・□結
③ □干・□間・□空
④ □角・□利・精□
⑤ □軍・後□・支□

ア 祭	**イ** 惑	**ウ** 路	**エ** 鋭	**オ** 頭
カ 婚	**キ** 欄	**ク** 継	**ケ** 援	**コ** 進

3 対義語

後の[　]の中のひらがなを漢字に直して、**対義語**を作りなさい。[　]の中のひらがなは**1度だけ**使い、**漢字1字**を書きなさい。

1問2点　/10

① 徴収―□入
② 航行―停□
③ 返却―□用
④ 保守―□新
⑤ 大要―□細

[かく・しゃく・しょう・のう・はく]

---

④ 縦**オウ**無尽にかけめぐる。
⑤ 彼らは一触**ソク**発の状態だ。
⑥ 是**ヒ**善悪の判断ができる大人だ。
⑦ 今がまさに時**セツ**到来だ。
⑧ 相手チームは**アオ**息吐息だ。
⑨ 総理は沈思**モッ**考をつらぬいた。
⑩ **ハク**利多売の商いをしている。

6 書き取り

次の――線の**カタカナ**を**漢字**に直しなさい。

1問2点　/16

① 先生の**チョサク**を読む。
② **スイサイガ**を描く。
③ 無罪を**センコク**した。
④ 迷路から**ダッシュツ**した。
⑤ 王から宝物を**サズ**かる。
⑥ 道で落とし物を**ヒロ**う。
⑦ 父は**ヒタイ**が広い。
⑧ 私は父を**ホコ**りに思う。

Goal

解ければ安心

第6回 ミニテスト

とてもよく出る

目標 10分

月　日

/90点

目標63点

解答：別冊P.9

1 読み

次の――線の**漢字の読み**を**ひらがな**で書きなさい。

1問1点　/10

① 職員が赤い**腕章**をつける。（　　）

② 予定外の事態に**当惑**する。（　　）

③ **作為**が感じられる。（　　）

④ **羽毛**ぶとんを買う。（　　）

⑤ 会議の**趣旨**を説明する。（　　）

⑥ 水の**滴**が落ちる。（　　）

⑦ 太陽**暦**を用いる。（　　）

⑧ **鉛**のように重い。（　　）

⑨ 感情に**訴**えてくる舞台。（　　）

⑩ 人を**遣**いにやる。（　　）

4 熟語の構成

熟語の構成のしかたには次のようなものがあります。

1問2点　/22

- **ア** 同じような意味の漢字を重ねたもの（例…**岩石**）
- **イ** 反対または対応の意味を表す字を重ねたもの（例…**高低**）
- **ウ** 上の字が下の字を修飾しているもの（例…**洋画**）
- **エ** 下の字が上の字の目的語・補語になっているもの（例…**着席**）
- **オ** 上の字が下の字の意味を打ち消しているもの（例…**非常**）

①～⑪の**熟語**は、右の**ア**～**オ**のどれにあたるか、**1つ**選び、**記号**で答えなさい。

① 比較（　　）
② 鋭敏（　　）
③ 着脱（　　）
④ 製菓（　　）
⑤ 師弟（　　）
⑥ 濃淡（　　）
⑦ 遅刻（　　）
⑧ 遠征（　　）
⑨ 賞罰（　　）
⑩ 新鮮（　　）
⑪ 不眠（　　）

5 四字熟語

次の**四字熟語**の――線の**カタカナ**を**漢字**に直し、**2字**を書きなさい。

1問2点　/20

① 試合で力戦**フン**闘した。（　　）

② 母の形見を**ゴ**生大事に持つ。（　　）

③ どの品も同工異**キョク**だ。（　　）

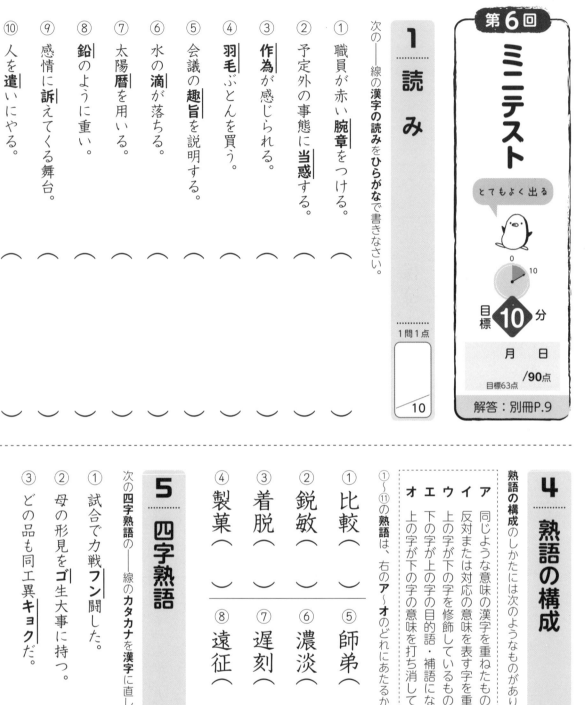

2 同音・同訓異字

1問2点　／12

次の——線の**カタカナ**にあてはまる漢字をそれぞれの**ア**～**オ**から**1つ**選び、**記号**で答えなさい。

①積**サイ**量が多い。（　）
②色**サイ**のセンスがある。（　）
③**サイ**末の大売り出しだ。（　）
（**ア**彩　**イ**採　**ウ**載　**エ**歳　**オ**際）

④**ト**息をもらす。（　）
⑤チェコに**ト**航する。（　）
⑥用**ト**を聞き出す。（　）
（**ア**途　**イ**渡　**ウ**徒　**エ**吐　**オ**都）

3 類義語

1問2点　／10

後の［　］の中のひらがなを漢字に直して、**類義語**を作りなさい。［　］の中のひらがなは**1度だけ**使い、**漢字1字**を書きなさい。

①健康―□夫
②本気―真□
③考慮―思□
④名誉―□光
⑤入手―□得

［あん・えい・かく・けん・じょう］

④単**トウ**直入に話を聞いた。（　）
⑤負けて意気消**チン**する。（　）
⑥容姿**タン**麗な女性が多い。（　）
⑦自給自**ソク**の生活を送る。（　）
⑧一進一**タイ**をくり返した。（　）
⑨適**ザイ**適所の組織をつくる。（　）
⑩**ダン**論風発で収拾がつかない。（　）

6 書き取り

1問2点　／16

次の——線の**カタカナ**を**漢字**に直しなさい。

①社長が**ベンゼツ**をふるう。（　）
②ファイルを**アッシュク**する。（　）
③彼の身元を**チョウサ**する。（　）
④自転車を道に**ホウチ**する。（　）
⑤キャプテンを**タヨ**りにする。（　）
⑥みんなの前で**ハジ**をかく。（　）
⑦**コノ**んで絵を習っている。（　）
⑧苦戦の末 強敵を**ヤブ**った。（　）

Goal

解ければ安心

第7回 ミニテスト

とてもよく出る

目標 10分

月　日

/74点

目標52点

解答：別冊P.10

1 読み

次の――線の**漢字の読み**を**ひらがな**で書きなさい。

① **機敏**な動きをする。（　　）
② すでに**隠居**の身だ。（　　）
③ 電車が**遅延**する。（　　）
④ 合格を**祈願**する。（　　）
⑤ 将軍が**威儀**を正した。（　　）
⑥ 弟の**寝息**が聞こえる。（　　）
⑦ 受験生の顔が**輝**いている。（　　）
⑧ **雌**のライオンが走る。（　　）
⑨ おかしな行動を**慎**む。（　　）
⑩ **道端**に何か落ちている。（　　）

1問1点　/10

4 部首

次の漢字の**部首**を**ア～エ**から**1つ**選び、**記号**で答えなさい。

① 歳（ア 止　イ 厂　ウ 示　エ 戈）（　　）
② 趣（ア 土　イ 走　ウ 耳　エ 又）（　　）
③ 圏（ア 口　イ 人　ウ 二　エ 己）（　　）
④ 療（ア 疒　イ 人　ウ 日　エ 小）（　　）
⑤ 彩（ア 爫　イ 木　ウ 釆　エ 彡）（　　）
⑥ 舟（ア 丿　イ 丶　ウ 一　エ 舟）（　　）
⑦ 是（ア 日　イ 一　ウ 丿　エ 疋）（　　）
⑧ 街（ア 彳　イ 土　ウ 亅　エ 行）（　　）
⑨ 戯（ア 丨　イ 虍　ウ 戈　エ 弋）（　　）
⑩ 珍（ア 二　イ 王　ウ 人　エ 彡）（　　）

1問1点　/10

5 誤字訂正

次の各文にまちがって使われている**同じ読みの漢字**が**1字**あります。**上に誤字**を、**下に正しい漢字**を書きなさい。

誤　正

① 担当の課長の意考が反映された。（　　）〔　　〕
② 事故で自動車の通行が基制された。（　　）〔　　〕

1問2点　/16

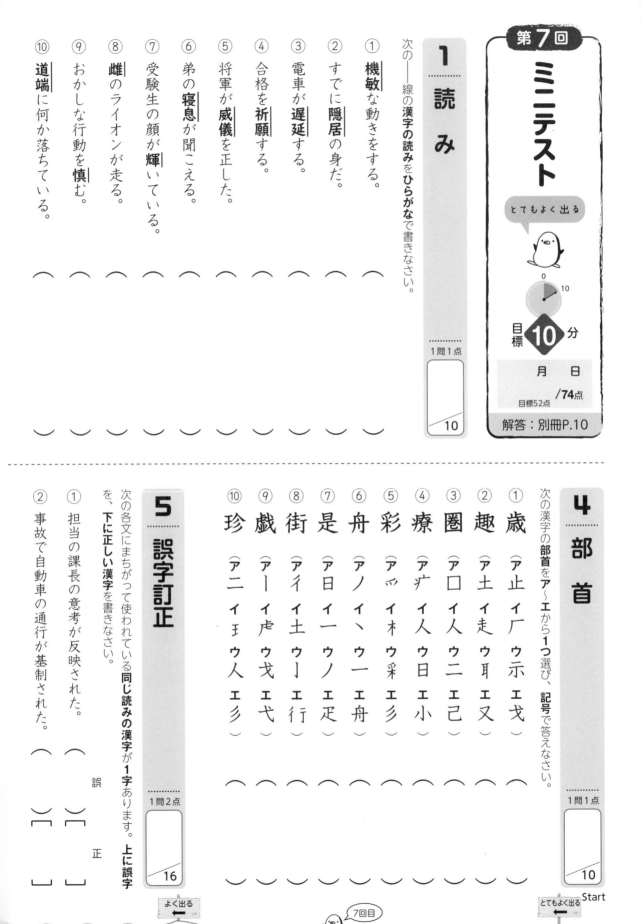

2 同音・同訓異字

1問2点　/12

次の――線のカタカナにあてはまる漢字をそれぞれのア～オから1つ選び、記号で答えなさい。

① 財産をフやす。（　　）
② 足をフみ入れる。（　　）
③ バットを大きくフる。（　　）
（ア 殖　イ 吹　ウ 振　エ 降　オ 踏）

④ 店にレイ人が現れる。（　　）
⑤ 外国にレイ属する。（　　）
⑥ レイ節を重んじる。（　　）
（ア 隷　イ 麗　ウ 礼　エ 例　オ 冷）

3 対義語

1問2点　/10

後の［　］の中のひらがなを漢字に直して、対義語を作りなさい。［　］の中のひらがなは1度だけ使い、漢字1字を書きなさい。

① 在宅 ― □守
② 脱退 ― □加
③ 不振 ― □調
④ 濁流 ― □流
⑤ 劣悪 ― □良

［こう・さん・せい・ゆう・る］

③ 害虫を駆助する業務を委任する。（　　）［　　］
④ 計画の方向性を示す指新を説明した。（　　）［　　］
⑤ 直面した問題は真刻な状態だ。（　　）［　　］
⑥ 実力を最大限に発起し合格した。（　　）［　　］
⑦ 流行に敏乗した悪質商法に注意する。（　　）［　　］
⑧ 学会での報告資料を保足した。（　　）［　　］

6 書き取り

1問2点　/16

次の――線のカタカナを漢字に直しなさい。

① 二つの商品をヒカクする。（　　）
② ノウムで視界がわるい。（　　）
③ ピアノのエンソウを聞く。（　　）
④ 一社が市場をドクセンする。（　　）
⑤ 父にカタグルマしてもらう。（　　）
⑥ 今後の運勢をウラナう。（　　）
⑦ 校庭に花がサく。（　　）
⑧ 役目をハたした顔つきだ。（　　）

Goal

解ければ安心

第8回

ミニテスト

とてもよく出る

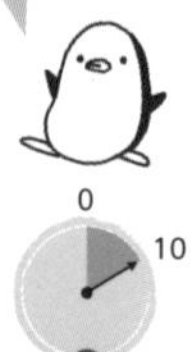

目標 10 分

月　日

/86点

目標61点

解答：別冊P.10

1 読み

次の――線の**漢字の読み**を**ひらがな**で書きなさい。

1問1点　/10

① ラクダが**繁殖**する。（　　）
② **含蓄**のある言葉だ。（　　）
③ 試験の**傾向**を知る。（　　）
④ 彼は**軽薄**な人間だ。（　　）
⑤ **唐突**に話をする。（　　）
⑥ この戦いでの勝利は**誉**れだ。（　　）
⑦ 時代の**荒波**にもまれる。（　　）
⑧ 妹はお化けが**怖**い。（　　）
⑨ 身の**丈**に合った生活だ。（　　）
⑩ もくもくと**煙**が出る。（　　）

4 送りがな

次の――線の**カタカナ**を**漢字1字**と**送りがな（ひらがな）**に直しなさい。

1問2点　/20

① 停電に**ソナエ**ておく。（　　）
② **ヤスラカナ**顔つきだ。（　　）
③ 急用を**スマセ**て帰る。（　　）
④ 少しずつ関係を**キズク**。（　　）
⑤ 野球の才能を**サズカル**。（　　）
⑥ 長い列の**ウシロ**に並ぶ。（　　）
⑦ 友人が財産を**ウシナッ**た。（　　）
⑧ 知り合いからお金を**カリル**。（　　）
⑨ **ユタカナ**暮らし。（　　）
⑩ お客様のコートを**アズカル**。（　　）

5 四字熟語

次の**四字熟語**の――線の**カタカナ**を**漢字**に直し、**2字**を書きなさい。

1問2点　/20

① **キョウ**味本位で話を聞く。（　　）
② 悩み事が雲散**ム**消した。（　　）
③ 七転八**キ**の姿勢で取り組む。（　　）

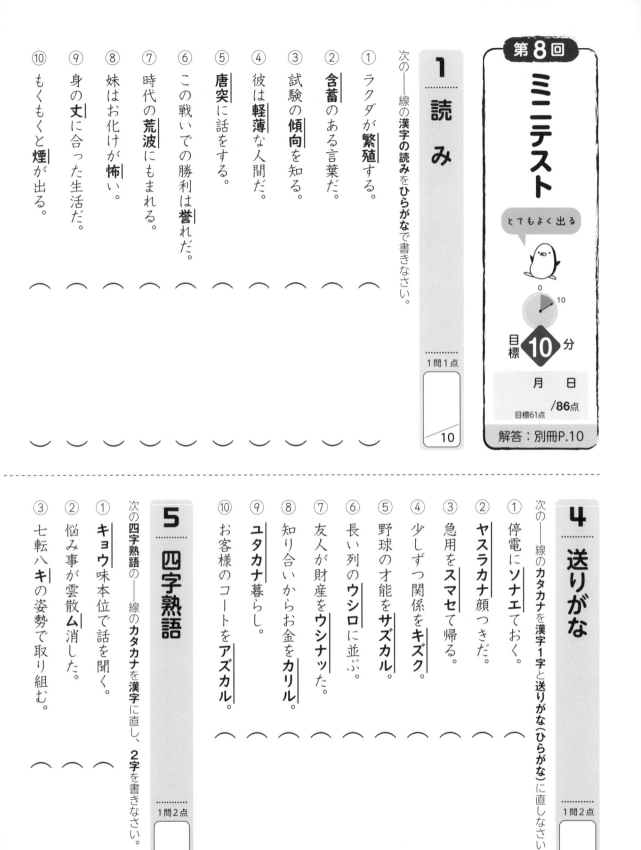

2 漢字識別

1問2点　/10

次の3つの□に**共通する漢字**を入れて熟語を作りなさい。漢字は[ ]から**1つ**選び、**記号**で答えなさい。

① 波□・指□・家□　（　）
② □曲・児□・遊□　（　）
③ 飛□・□進・活□　（　）
④ □暑・□省・□将　（　）
⑤ 悲□・□路・初□　（　）

ア 躍	**イ** 音	**ウ** 恋	**エ** 戯	**オ** 行
カ 童	**キ** 紋	**ク** 礼	**ケ** 喜	**コ** 猛

3 類義語

1問2点　/10

後の[ ]の中のひらがなを漢字に直して、**類義語**を作りなさい。[ ]の中のひらがなは**1度だけ**使い、**漢字1字**を書きなさい。

① 恒久－永□
② 地道－□実
③ 根底－基□
④ 同等－□敵
⑤ 普通－□常

[えん・けん・じん・ばん・ひっ]

④ 小**シン**翼々で判断をためらう。（　）
⑤ **モン**外不出の教えを守る。（　）
⑥ 無理算**ダン**して話をつける。（　）
⑦ 一**ボウ**千里の光景だ。（　）
⑧ **ゼン**人未到の記録を打ちたてる。（　）
⑨ 抱**フク**絶倒の落語を聞いた。（　）
⑩ **ギョク**石混交のメンバーだ。（　）

6 書き取り

1問2点　/16

次の――線の**カタカナ**を**漢字**に直しなさい。

① **ジュクレン**の工員がいる。（　）
② 光を**クッセツ**する。（　）
③ 書類に自筆で**ショメイ**する。（　）
④ 中国に**ユライ**する様式だ。（　）
⑤ 春にひなどりが**スダ**つ。（　）
⑥ 最初から**ウタガ**ってかかる。（　）
⑦ 羊の**ム**れが移動する。（　）
⑧ 大量のプリントを**ス**る。（　）

第9回 ミニテスト

とてもよく出る

目標 10 分

月　日

/90点

目標63点

解答：別冊P.10

1 読み

次の――線の**漢字の読み**を**ひらがな**で書きなさい。

1問1点　/10

① 名人芸に**脱帽**した。（　）
② 村の**民俗**を調べる。（　）
③ 機械を**制御**する。（　）
④ **丹念**に床をふく。（　）
⑤ 今年の**抱負**を述べる。（　）
⑥ **淡**い期待をいだく。（　）
⑦ 地面にシートを**敷**く。（　）
⑧ みんなが**騒**ぎ立てる。（　）
⑨ 花見で胸が**躍**る。（　）
⑩ 花の芽を**摘**み取る。（　）

4 熟語の構成

熟語の構成のしかたには次のようなものがあります。

1問2点　/22

ア 同じような意味の漢字を重ねたもの（例…**岩石**）
イ 反対または対応の意味を表す字を重ねたもの（例…**高低**）
ウ 上の字が下の字を修飾しているもの（例…**洋画**）
エ 下の字が上の字の目的語・補語になっているもの（例…**着席**）
オ 上の字が下の字の意味を打ち消しているもの（例…**非常**）

①～⑪の**熟語**は、右の**ア**～**オ**のどれにあたるか、**1つ**選び、**記号**で答えなさい。

① 恩恵（　）
② 存亡（　）
③ 光輝（　）
④ 到達（　）
⑤ 清濁（　）
⑥ 安眠（　）
⑦ 起稿（　）
⑧ 去来（　）
⑨ 不惑（　）
⑩ 更衣（　）
⑪ 乾燥（　）

5 四字熟語

次の**四字熟語**の――線の**カタカナ**を**漢字**に直し、**2字**を書きなさい。

1問2点　/20

① 八**ポウ**美人の彼は当てにできない。（　）
② 悪事千**リ**を走る。（　）
③ 彼は完全無**ケツ**のプレイヤーだ。（　）

Start

2 同音・同訓異字

1問2点　／12

次の——線の**カタカナ**にあてはまる漢字をそれぞれの**ア**～**オ**から**1つ**選び、**記号**で答えなさい。

① **カン**境問題を学ぶ。（　）
② 辛子《からし》には発**カン**作用がある。（　）
③ 海沿いに**カン**拓地が広がる。（　）
（**ア** 干　**イ** 汗　**ウ** 完　**エ** 環　**オ** 簡）

④ いい宿に**ト**まる。（　）
⑤ 事の重大さを**ト**く。（　）
⑥ 走り高**ト**びをする。（　）
（**ア** 跳　**イ** 泊　**ウ** 執　**エ** 説　**オ** 採）

3 対義語

1問2点　／10

後の［　］の中のひらがなを漢字に直して、**対義語**を作りなさい。［　］の中のひらがなは**1度だけ**使い、**漢字1字**を書きなさい。

① 起床 ― 就□
② 警戒 ― 油□
③ 一致 ― 相□
④ 脱退 ― 加□
⑤ 甘言 ― □言

［い・く・しん・だん・めい］

---

④ 理**ロ**整然と話を述べる。（　）
⑤ 人**セキ**未踏の地に降り立つ。（　）
⑥ あの事件は不可**コウ**力だ。（　）
⑦ 有**イ**転変の世に思いをはせる。（　）
⑧ 驚**テン**動地の事件が起こる。（　）
⑨ **ギ**論百出して決まった。（　）
⑩ 息子に是**ヒ**曲直を教えこむ。（　）

6 書き取り

1問2点　／16

次の——線の**カタカナ**を**漢字**に直しなさい。

① 曲に**コウカン**を持った。（　）
② **シャソウ**からの風景を見る。（　）
③ **ゼツミョウ**な合いの手だ。（　）
④ **シキサイ**あふれる絵だ。（　）
⑤ **ウラニワ**で少年が遊ぶ。（　）
⑥ 取引先の会社を**タズ**ねる。（　）
⑦ **スルド**い質問に答える。（　）
⑧ 空から**ワタユキ**が降る。（　）

第10回
ミニテスト
とてもよく出る

目標 10 分

月　日

/74点
目標52点

解答：別冊P.11

1 読み

1問1点　/10

次の――線の**漢字の読み**を**ひらがな**で書きなさい。

① 図録で見た**史跡**を訪ねる。（　）
② 知覚**過敏**になっている。（　）
③ 父の**恩恵**を受ける。（　）
④ 仕事に**忙殺**される。（　）
⑤ 野球の**殿堂**入りを果たす。（　）
⑥ 三代目を**襲名**する。（　）
⑦ 彼を客として**扱**う。（　）
⑧ 地元への帰省を**勧**める。（　）
⑨ 彼女とは**縁**があるようだ。（　）
⑩ 漁で太平洋を**巡**る。（　）

4 部首

1問1点　/10

次の漢字の**部首**を**ア〜エ**から**1つ**選び、**記号**で答えなさい。

① 隷（ア 士　イ 示　ウ 亅　エ 隶）（　）
② 術（ア 彳　イ 木　ウ 丶　エ 行）（　）
③ 威（ア 厂　イ ノ　ウ 女　エ 戈）（　）
④ 隠（ア 阝　イ ノ　ウ ⺍　エ 心）（　）
⑤ 越（ア 土　イ 走　ウ 弋　エ 戈）（　）
⑥ 秀（ア ノ　イ 木　ウ 禾　エ 亅）（　）
⑦ 豪（ア 亠　イ 口　ウ 冖　エ 豕）（　）
⑧ 我（ア ノ　イ 一　ウ 丶　エ 戈）（　）
⑨ 箇（ア ⺮　イ 囗　ウ 一　エ 十）（　）
⑩ 含（ア 人　イ 一　ウ 二　エ 口）（　）

5 誤字訂正

1問2点　/16

次の各文にまちがって使われている**同じ読みの漢字**が**1字**あります。**上に誤字**を、**下に正しい漢字**を書きなさい。

誤　正

① 電話口での央対が的確で感激する。（　）［　］
② 犯人と予想される人物を監使する。（　）［　］

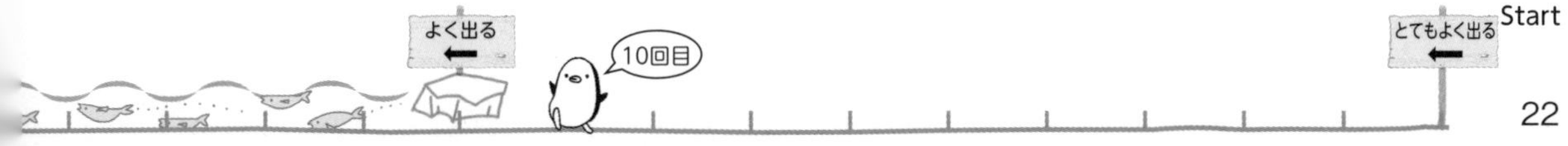

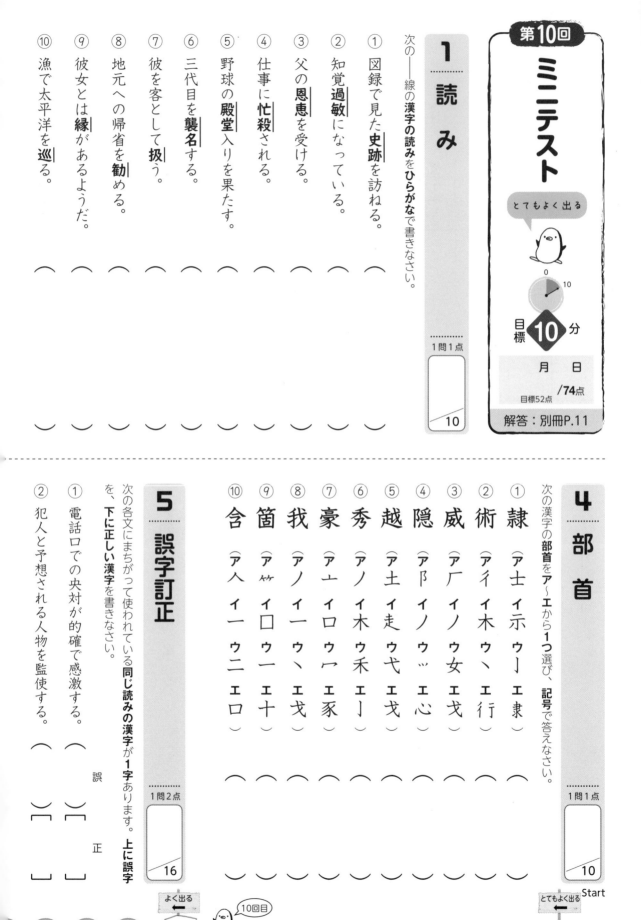

2 同音・同訓異字

1問2点　／12

次の――線のカタカナにあてはまる漢字をそれぞれのア～オから1つ選び、記号で答えなさい。

① ケン実な進め方だ。（　）
② ケン任することになる。（　）
③ 電波がケン外になる。（　）
（ア 圏　イ 兼　ウ 堅　エ 件　オ 険）

④ 歌ヨウショーを観る。（　）
⑤ ヨウ人と会合する。（　）
⑥ 舞ヨウの先生に習う。（　）
（ア 用　イ 陽　ウ 踊　エ 要　オ 謡）

3 類義語

1問2点　／10

後の［　］の中のひらがなを漢字に直して、類義語を作りなさい。［　］の中のひらがなは1度だけ使い、漢字1字を書きなさい。

① 風刺―□肉
② 近隣―□辺
③ 及第―合□
④ 前途―□来
⑤ 道端―路□

［かく・しゅう・しょう・ひ・ぼう］

③ 素在を収集し製品を生産する。（　）［　］
④ 災害対作の部署を設置する。（　）［　］
⑤ 時間をかけて検討した案を提事する。（　）［　］
⑥ 売店の責任者に新人を党用する。（　）［　］
⑦ 特接会場で著名人が歌唱する。（　）［　］
⑧ 多くの機械を開発した老連の技術者だ。（　）［　］

6 書き取り

1問2点　／16

次の――線のカタカナを漢字に直しなさい。

① コウタクのある布地だ。（　）
② ホテルにシュクハクする。（　）
③ 沈没《ちんぼつ》船でオウゴンを発見する。（　）
④ 彼のネツレツなファンだ。（　）
⑤ 紅葉ガりの季節になった。（　）
⑥ 王が食事をメし上がる。（　）
⑦ 街路樹がカれる。（　）
⑧ 洋服を部屋にホす。（　）

Goal

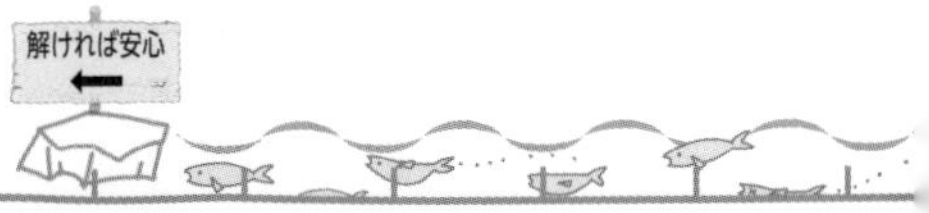

第11回 ミニテスト

よく出る

目標10分

月　日

/86点　目標61点

解答：別冊P.11

1 読み

1問1点　/10

次の――線の**漢字の読み**を**ひらがな**で書きなさい。

① 金属の部品が**腐食**する。（　　）
② **敏速**な行動をとる。（　　）
③ ある作家の**遺稿**を手にする。（　　）
④ エネルギーが**増幅**する。（　　）
⑤ **歌謡**曲をうたう。（　　）
⑥ 国の**象徴**をみせる。（　　）
⑦ **漁獲**量が増加する。（　　）
⑧ 家からみえる**峰**を思い出す。（　　）
⑨ **網**で魚をつかまえる。（　　）
⑩ **互**いに認め合う。（　　）

---

4 送りがな

1問2点　/20

次の――線の**カタカナ**を**漢字1字**と**送りがな（ひらがな）**に直しなさい。

① 犯人であることは**アキラカダ**。（　　）
② お題目を**トナエル**。（　　）
③ 知人に真実を**タシカメル**。（　　）
④ 自ら**コノン**で料理する。（　　）
⑤ **モリ**そばを注文する。（　　）
⑥ 水魚の**マジワリ**の意味を知る。（　　）
⑦ しでかしたことを**アヤマル**。（　　）
⑧ 無益な**アラソイ**はしたくない。（　　）
⑨ 大木が**カレル**。（　　）
⑩ 冷たい壁に**サワル**。（　　）

5 四字熟語

1問2点　/20

次の**四字熟語**の――線の**カタカナ**を**漢字**に直し、**2字**を書きなさい。

① 作品の故事来**レキ**を知る。（　　）
② 異**ク**同音に反対する。（　　）
③ 一**コク**千金をかみしめる。（　　）

よく出る　11回目

とてもよく出る　Start

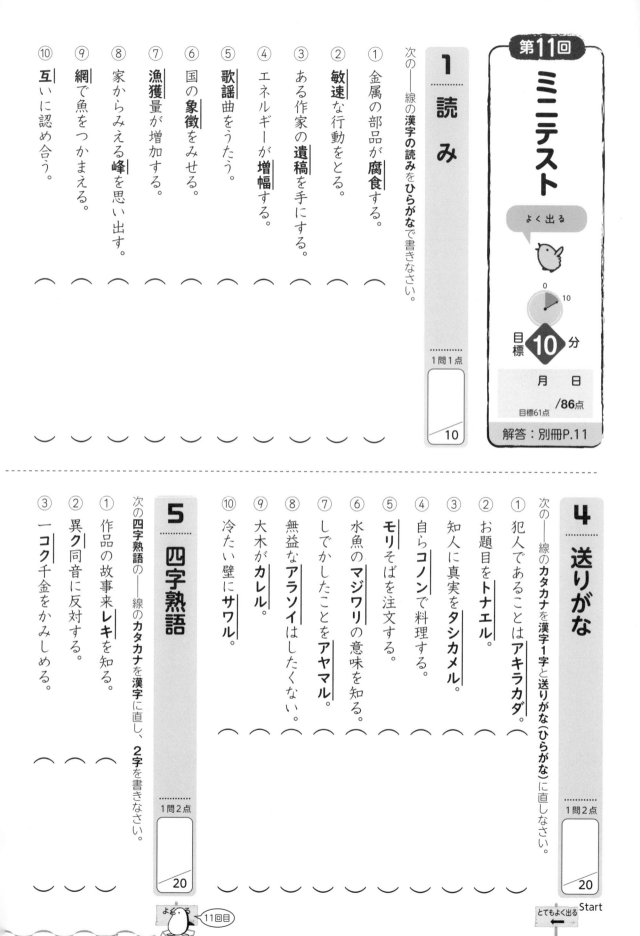

2 漢字識別

次の３つの□に**共通する漢字**を入れて熟語を作りなさい。漢字は[　]から**１つ**選び、**記号**で答えなさい。

① 低□・□走・□路　（　　）
② □風・□容・□厳　（　　）
③ □位・寄□・□答　（　　）
④ 消□・□下・□着　（　　）
⑤ 清□・□水・□流　（　　）

ア 迷	**イ** 威	**ウ** 贈	**エ** 尋	**オ** 毒
カ 沈	**キ** 濁	**ク** 上	**ケ** 潔	**コ** 誇

1問2点　／10

3 対義語

後の[　]の中のひらがなを漢字に直して、**対義語**を作りなさい。[　]の中のひらがなは**１度だけ**使い、**漢字１字**を書きなさい。

① 冒頭－末□
② 例外－原□
③ 希薄－□密
④ 兼業－□業
⑤ 追跡－□亡

[せん・そく・とう・のう・び]

1問2点　／10

④ 再会で**キ**色満面だ。（　　）
⑤ 先生は不**ゲン**実行のタイプだ。（　　）
⑥ **キ**想天外なアイデアを出す。（　　）
⑦ ニ**ソク**三文にしかならない。（　　）
⑧ 電光石**カ**の早技をみせた。（　　）
⑨ 即断即**ケツ**をモットーとする。（　　）
⑩ 無味**カン**燥な話を聞かされた。（　　）

6 書き取り

次の――線の**カタカナ**を**漢字**に直しなさい。

① メンバーを**シンライ**する。（　　）
② **シンセン**な魚を仕入れる。（　　）
③ いい**カンキョウ**に身を置く。（　　）
④ **キョタイ**の敵に標的をしぼる。（　　）
⑤ 助けを求める人を**スク**う。（　　）
⑥ とある人を**ミカギ**った。（　　）
⑦ 彼を**ノゾ**いて数える。（　　）
⑧ 動物を野に**ハナ**った。（　　）

1問2点　／16

第12回
ミニテスト

よく出る

目標10分

月　日

/90点

目標63点

解答：別冊P.11

1 読み

次の――線の**漢字の読み**を**ひらがな**で書きなさい。

1問1点　/10

① 文明が**飛躍**的に発展した。（　）
② けが人を**介抱**する。（　）
③ 彼女は**毒舌**家だ。（　）
④ 講演の**要旨**をまとめる。（　）
⑤ 合格者を**輩出**する。（　）
⑥ **跡形**もなく消え去る。（　）
⑦ いかりの**矛先**が向く。（　）
⑧ みんなの前で**恥**をさらす。（　）
⑨ かわいい子を**授**かる。（　）
⑩ **鋭**い意見を参考にした。（　）

4 熟語の構成

熟語の構成のしかたには次のようなものがあります。

1問2点　/22

ア　同じような意味の漢字を重ねたもの（例…**岩石**）
イ　反対または対応の意味を表す字を重ねたもの（例…**高低**）
ウ　上の字が下の字を修飾しているもの（例…**洋画**）
エ　下の字が上の字の目的語・補語になっているもの（例…**着席**）
オ　上の字が下の字の意味を打ち消しているもの（例…**非常**）

①～⑪の**熟語**は、右の**ア**～**オ**のどれにあたるか、**1つ**選び、**記号**で答えなさい。

① 違反（　）
② 干満（　）
③ 取捨（　）
④ 是非（　）
⑤ 絶縁（　）
⑥ 尽力（　）
⑦ 皮膚（　）
⑧ 不屈（　）
⑨ 拍手（　）
⑩ 波紋（　）
⑪ 傍線（　）

5 四字熟語

次の**四字熟語**の――線の**カタカナ**を**漢字**に直し、**2字**を書きなさい。

1問2点　/20

① 臨機**オウ**変に対処する。（　）
② 部隊は**リ**合集散をくり返した。（　）
③ **アン**雲低迷のときを過ごす。（　）

とてもよく出る　Start　よく出る　12回目

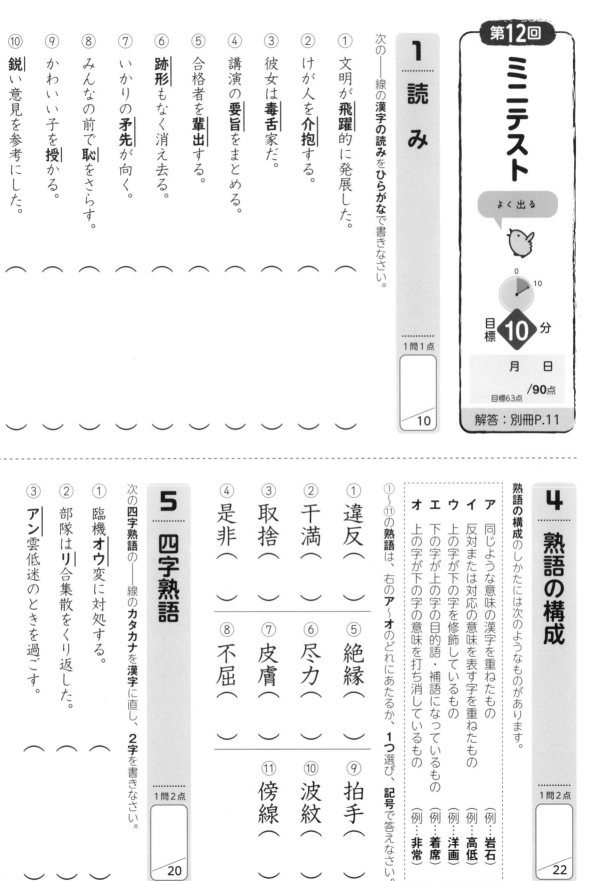

2 同音・同訓異字

1問2点　／12

次の――線の**カタカナ**にあてはまる漢字をそれぞれの**ア**～**オ**から**1つ**選び、**記号**で答えなさい。

① **ショウ**号を与えられる。（　）
② 国会を**ショウ**集する。（　）
③ 事件の**ショウ**細を調べる。（　）
（**ア** 召　**イ** 賞　**ウ** 称　**エ** 章　**オ** 詳）

④ 彼は成績不**シン**だ。（　）
⑤ **シン**重に物事を運ぶ。（　）
⑥ 基地に**シン**入する。（　）
（**ア** 新　**イ** 振　**ウ** 慎　**エ** 侵　**オ** 進）

3 類義語

1問2点　／10

後の［　］の中のひらがなを漢字に直して、**類義語**を作りなさい。［　］の中のひらがなは**1度だけ**使い、**漢字1字**を書きなさい。

① 全快 ― □治
② 手本 ― 模□
③ 腕前 ― □量
④ 反撃 ― 逆□
⑤ 理由 ― 根□

［かん・ぎ・きょ・しゅう・はん］

④ ここでは社交**ジ**令は不要だ。（　）
⑤ 才色兼**ビ**な女性が現れる。（　）
⑥ 危急存**ボウ**のときだ。（　）
⑦ 地震で地盤**チン**下が起こった。（　）
⑧ 言行一**チ**で取り組む。（　）
⑨ 本末転**トウ**な方法だ。（　）
⑩ 計画は**ユウ**名無実と化した。（　）

6 書き取り

1問2点　／16

次の――線の**カタカナ**を**漢字**に直しなさい。

① 氷を入れて**センド**を保つ。（　）
② 学校に**チコク**しそうだ。（　）
③ **キョダイ**な武器を持つ。（　）
④ とても**ユウシュウ**な社員だ。（　）
⑤ 受付で荷物を**アズ**かる。（　）
⑥ 相手を**オ**し出す。（　）
⑦ 要人の**アツカ**いに注意する。（　）
⑧ 目の前の選手を追い**ヌ**く。（　）

Goal

解ければ安心 ←

第13回 ミニテスト

よく出る

目標 10 分

月　日

/74点
目標52点

解答：別冊P.12

1 読み

次の――線の**漢字の読み**を**ひらがな**で書きなさい。

1問1点　/10

① お金の**使途**を聞く。（　　）
② **恒久**的な対策をする。（　　）
③ **発汗**作用がすごい。（　　）
④ **店舗**を改装する。（　　）
⑤ **毛髪**を黒く染める。（　　）
⑥ **雄大**な思想を話す。（　　）
⑦ **耐熱**皿をつかった料理。（　　）
⑧ **執念**を燃やす。（　　）
⑨ **澄**んだ空を見上げる。（　　）
⑩ 新しい商品で集客を**図**る。（　　）

4 部首

次の漢字の**部首**を**ア～エ**から**1つ**選び、**記号**で答えなさい。

1問1点　/10

① 罰（ア 罒　イ 言　ウ 刂　エ 亅）（　　）
② 柔（ア ノ　イ 一　ウ 矛　エ 木）（　　）
③ 剤（ア 亠　イ 文　ウ 斉　エ 刂）（　　）
④ 勧（ア ノ　イ 二　ウ 隹　エ 力）（　　）
⑤ 輩（ア 非　イ 一　ウ 車　エ 丨）（　　）
⑥ 翼（ア 羽　イ 田　ウ 二　エ 八）（　　）
⑦ 烈（ア 夕　イ 歹　ウ 刂　エ 灬）（　　）
⑧ 傾（ア 亻　イ 匕　ウ 頁　エ 八）（　　）
⑨ 釈（ア ノ　イ 釆　ウ 木　エ 尺）（　　）
⑩ 麗（ア 一　イ 冂　ウ 广　エ 鹿）（　　）

5 誤字訂正

次の各文にまちがって使われている**同じ読みの漢字**が**1字**あります。**上に誤字**を、**下に正しい漢字**を書きなさい。

1問2点　/16

誤　正

① 天体を間測する望遠鏡を買った。（　　）［　　］
② 日本画を鑑章する機会を得る。（　　）［　　］

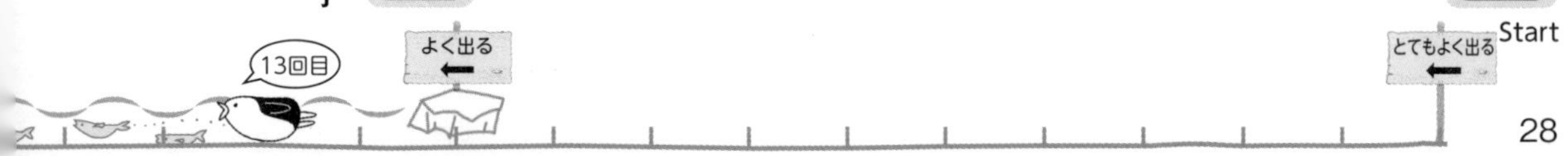

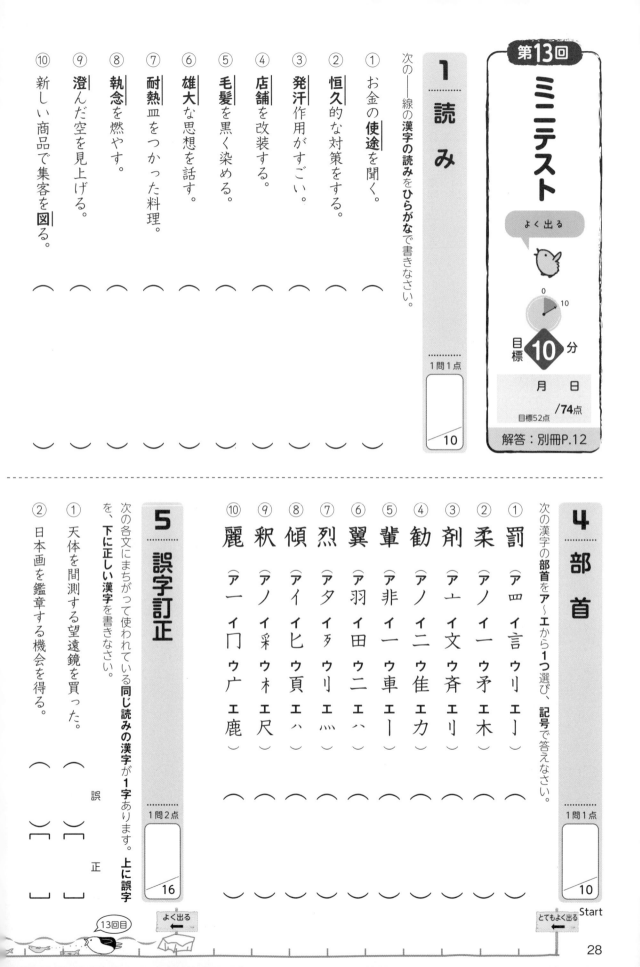

2 同音・同訓異字

1問2点　/12

次の――線のカタカナにあてはまる漢字をそれぞれのア～オから1つ選び、記号で答えなさい。

①新たな職務にツく。（　）
②父の意志をツぐ。（　）
③親しい人にツくす。（　）
（ア継　イ就　ウ尽　エ付　オ着）

④出来映えに脱ボウする。（　）
⑤漢字の横にボウ線を引く。（　）
⑥わくわくするボウ険だ。（　）
（ア冒　イ防　ウ忘　エ帽　オ傍）

3 対義語

1問2点　/10

後の□の中のひらがなを漢字に直して、対義語を作りなさい。□の中のひらがなは1度だけ使い、漢字1字を書きなさい。

①強固―□弱
②病弱―□夫
③回避―□面
④軽率―□重
⑤近海―遠□

しん・じょう・ちょく・はく・よう

③最食主義で乳製品を口にしない。（　）［　］
④熱湯が際現なくわき出す温泉だ。（　）［　］
⑤交番に勤務する巡差が取り調べる。（　）［　］
⑥転倒した選手の傷口の所置をした。（　）［　］
⑦小料理屋に来客として将待される。（　）［　］
⑧合理化を推信した計画が大づめだ。（　）［　］

6 書き取り

1問2点　/16

次の――線のカタカナを漢字に直しなさい。

①演奏にハクシュを送る。（　）
②資本をゾウショクした。（　）
③トウメイな水を飲む。（　）
④ある劇団をオウエンする。（　）
⑤自らの意志をシメす。（　）
⑥ある流派をキワめる。（　）
⑦幸いにも友人にメグまれる。（　）
⑧ベランダで服をカワかす。（　）

Goal

解ければ安心

第14回 ミニテスト

よく出る

目標 10 分

月　日

/86点

目標61点

解答：別冊P.12

1 読み

1問1点　/10

次の――線の**漢字の読み**を**ひらがな**で書きなさい。

① 新規店は**盛況**だ。

② 一気に**跳躍**する。

③ 事件に**関与**する。

④ 例の件の**詳報**を伝える。

⑤ **精鋭**ばかりのチームだ。

⑥ 両方の事情を**考慮**する。

⑦ 彼の態度を**是認**する。

⑧ **更**に事情を調べる。

⑨ 木の**陰**で立っている。

⑩ 力では敵に**劣**る。

4 送りがな

1問2点　/20

次の――線の**カタカナ**を**漢字1字**と**送りがな（ひらがな）**に直しなさい。

① **アブナイ**エリアに入らない。

② 昔に比べて体重が**ヘッ**た。

③ 自分の態度を**アラタメル**。

④ **オギナッ**て余りある行動だ。

⑤ **コロン**で起き上がる。

⑥ 攻撃の**カマエ**を見せる。

⑦ 子供を**ツレ**て歩く。

⑧ 勢いに負けて**シリゾク**。

⑨ 交差点を左に**マガル**。

⑩ 目上の人を**ウヤマウ**。

5 四字熟語

1問2点　/20

次の**四字熟語**の――線の**カタカナ**を**漢字**に直し、**2字**を書きなさい。

① 優**ジュウ**不断な人に文句を言う。

② 不眠不**キュウ**で仕事に当たった。

③ 彼女は意志**ケン**固だ。

Start　とてもよく出る　よく出る　14回目

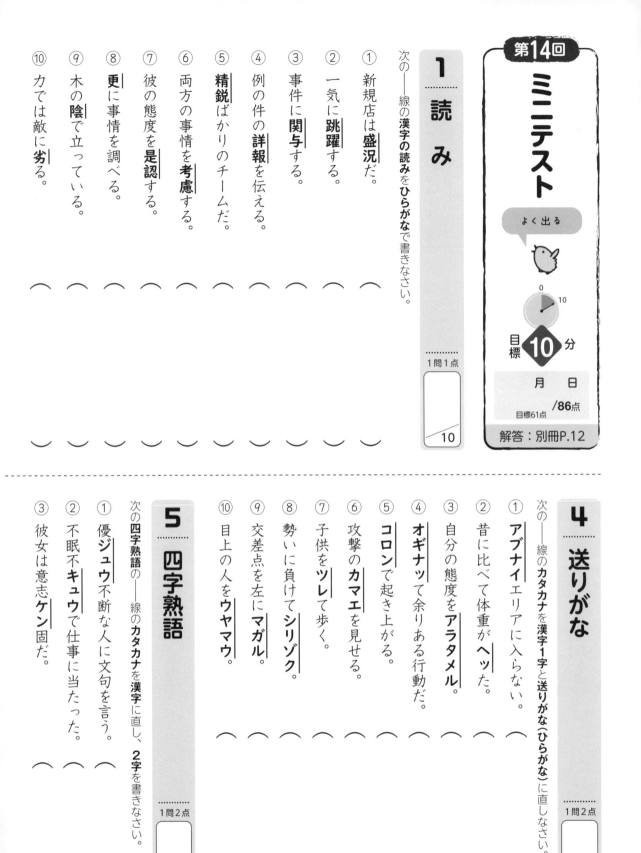

2 漢字識別

次の3つの□に**共通する漢字**を入れて熟語を作りなさい。漢字は[ ]から**1つ**選び、**記号**で答えなさい。

① 店□・本□・□装

② 印□・図□・□定

③ □観・路□・□受

④ 太□・□動・□笛

⑤ 放□・□画・□談

ア 頭	**イ** 舗	**ウ** 牧	**エ** 象	**オ** 拍
カ 鼓	**キ** 漫	**ク** 出	**ケ** 鑑	**コ** 傍

1問2点　/10

3 類義語

後の[ ]の中のひらがなを漢字に直して、**類義語**を作りなさい。[ ]の中のひらがなは**1度だけ**使い、**漢字1字**を書きなさい。

① 備蓄―□蔵

② 使命―責□

③ 即刻―早□

④ 周到―□密

⑤ 運搬―□送

そく・ちょ・む・めん・ゆ

1問2点　/10

④ 疑心暗**キ**になるのも仕方ない。

⑤ 天変地**イ**が発生する。

⑥ 昼夜**ケン**行の仕事ぶりを見習う。

⑦ 面従**フク**背の姿勢が変わらない。

⑧ **ロウ**成円熟の様を見た。

⑨ 彼は名**ジツ**一体の人だと聞いた。

⑩ 一**トウ**両断して議論を終わらせる。

6 書き取り

次の――線の**カタカナ**を**漢字**に直しなさい。

① 政治家と**アクシュ**する。

② **ブタイ**で演技を見せる。

③ 表面が**スイテキ**をはじく。

④ 朝は**ゲンマイ**を食べる。

⑤ 母がなぜか**オコ**っている。

⑥ 車を左に**ヨ**せて止めた。

⑦ スイカをたたいて**ワ**る。

⑧ 部屋を**ヨゴ**してしまった。

1問2点　/16

Goal

解ければ安心

第15回 ミニテスト

よく出る

目標 10分

月　日

/90点

目標63点

解答：別冊P.12

1 読み

1問1点　/10

次の――線の**漢字の読み**を**ひらがな**で書きなさい。

① 自国の王の**慢心**をなげく。（　　）
② **端麗**な容姿の女性だ。（　　）
③ **頭髪**を切りに行く。（　　）
④ 心理**描写**が上手い。（　　）
⑤ 勢いに**拍車**がかかる。（　　）
⑥ **悲惨**な末路をたどる。（　　）
⑦ **率先**して国をまとめる。（　　）
⑧ **木綿**でできた服だ。（　　）
⑨ 人を**惑**わす発言だ。（　　）
⑩ ごはんを多く**盛**る。（　　）

4 熟語の構成

1問2点　/22

熟語の構成のしかたには次のようなものがあります。

ア　同じような意味の漢字を重ねたもの　（例…**岩石**）
イ　反対または対応の意味を表す字を重ねたもの　（例…**高低**）
ウ　上の字が下の字を修飾しているもの　（例…**洋画**）
エ　下の字が上の字の目的語・補語になっているもの　（例…**着席**）
オ　上の字が下の字の意味を打ち消しているもの　（例…**非常**）

①～⑪の**熟語**は、右の**ア～オ**のどれにあたるか、**1つ**選び、**記号**で答えなさい。

① 興亡（　）　② 離合（　）　③ 救援（　）　④ 避暑（　）
⑤ 汚濁（　）　⑥ 起床（　）　⑦ 空欄（　）　⑧ 未婚（　）
⑨ 出荷（　）　⑩ 増殖（　）　⑪ 因果（　）

5 四字熟語

1問2点　/20

次の**四字熟語**の――線の**カタカナ**を**漢字**に直し、**2字**を書きなさい。

① その計画は用意**シュウ**到だった。（　　）
② 百**キ**夜行の芸能界に入る。（　　）
③ 意志**ハク**弱な態度にあきれる。（　　）

Start　とてもよく出る　よく出る　15回目

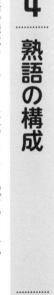

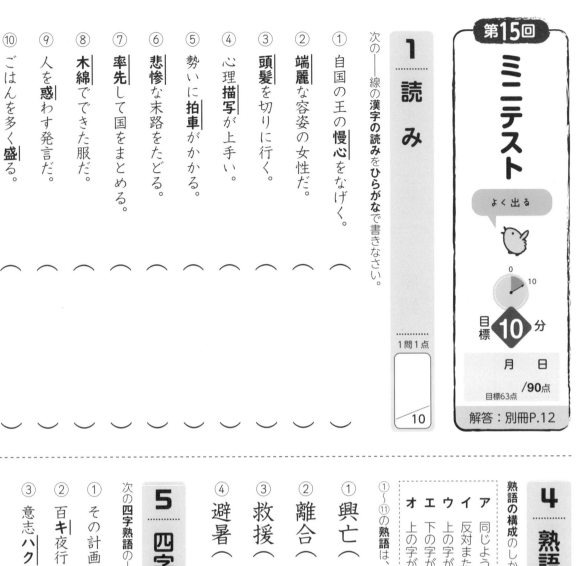

2 同音・同訓異字

1問2点　／12

次の――線のカタカナにあてはまる漢字をそれぞれのア～オから1つ選び、記号で答えなさい。

①オしに弱い相手だ。
②気オわないで発表に臨む。
③彼を委員長にオす。
（ア追　イ置　ウ押　エ負　オ推）

④先生から原コウをもらう。
⑤コウ目の多い資料だ。
⑥不良がコウ生する。
（ア校　イ稿　ウ項　エ更　オ高）

3 対義語

1問2点　／10

後の［　］の中のひらがなを漢字に直して、対義語を作りなさい。［　］の中のひらがなは1度だけ使い、漢字1字を書きなさい。

①陰性―□性
②開放―閉□
③不和―円□
④攻撃―防□
⑤原告―□告

ぎょ・さ・ひ・まん・よう

④一キョ両得の考え方をする。
⑤無ネン無想の境地に至る。
⑥私利私ヨクに目がくらんだ。
⑦注意サン漫なことが見て取れる。
⑧悪戦ク闘の毎日を送る。
⑨痛みで七転八トウする。
⑩彼は大キ晩成だと思う。

6 書き取り

1問2点　／16

次の――線のカタカナを漢字に直しなさい。

①コウスイをふりかける。
②フツウ列車に乗る。
③おみくじでキョウを引く。
④三月ゲジュンになった。
⑤来月、海外にワタる。
⑥どうにか難をノガれた。
⑦アマいかき氷を口にする。
⑧目が回るイソガしさだ。

Goal

解ければ安心

第16回 ミニテスト

よく出る

目標 10 分

月　日

/74点　目標52点

解答：別冊P.13

1 読み

次の——線の**漢字の読み**を**ひらがな**で書きなさい。

1問1点　/10

① 手の**皮膚**をさわる。（　　）
② **優越**感を味わう。（　　）
③ **寸暇**をおしんで働く。（　　）
④ 場が**騒然**とする。（　　）
⑤ 同じ主張を**堅持**する。（　　）
⑥ **恒星**を観測する。（　　）
⑦ 動物を**捕獲**する。（　　）
⑧ 目の前の敵から**逃**げる。（　　）
⑨ 古いビルを**壊**す。（　　）
⑩ 塩を水に**溶**かす。（　　）

4 部首

次の漢字の**部首**を**ア〜エ**から**1つ**選び、**記号**で答えなさい。

1問1点　/10

① 屈　（ア 尸　イ 厂　ウ 丨　エ 山）（　　）
② 窓　（ア 宀　イ 穴　ウ 厶　エ 心）（　　）
③ 競　（ア 亠　イ 立　ウ 口　エ 儿）（　　）
④ 煮　（ア 土　イ ノ　ウ 日　エ 灬）（　　）
⑤ 至　（ア 一　イ 厶　ウ 至　エ 土）（　　）
⑥ 斜　（ア 人　イ 二　ウ 亅　エ 斗）（　　）
⑦ 舞　（ア ノ　イ 一　ウ 夕　エ 舛）（　　）
⑧ 需　（ア ⻗　イ 一　ウ 冂　エ 而）（　　）
⑨ 再　（ア 一　イ 田　ウ 丨　エ 冂）（　　）
⑩ 雄　（ア 一　イ ノ　ウ 厶　エ 隹）（　　）

5 誤字訂正

次の各文にまちがって使われている**同じ読みの漢字**が**1字**あります。**上に誤字**を、**下に正しい漢字**を書きなさい。

1問2点　/16

誤　正

① 古代の位跡を発掘し興奮した。（　　）［　　］
② 車の往礼の少ない道を走る。（　　）［　　］

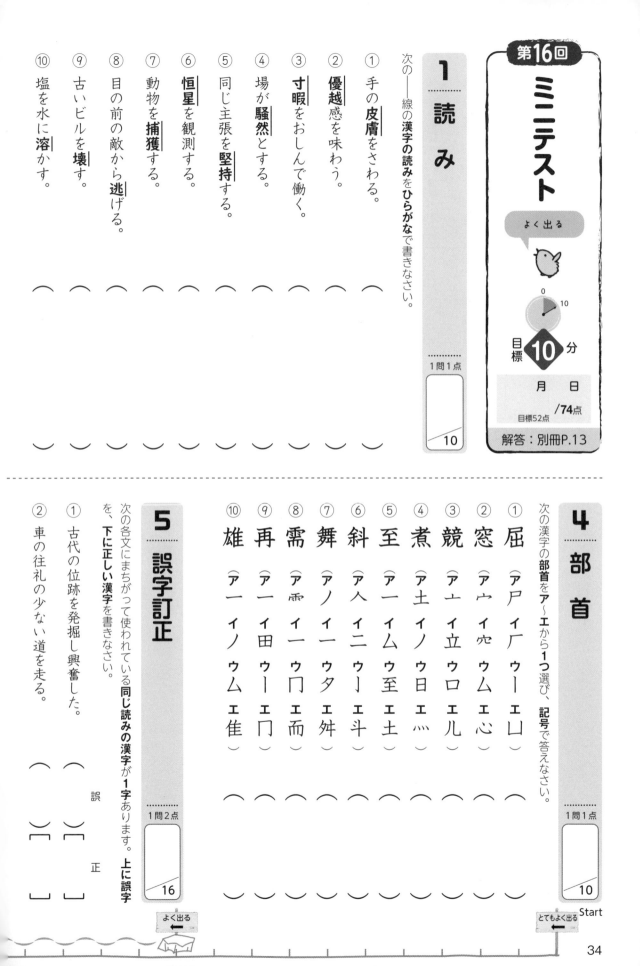

2　同音・同訓異字

1問2点　／12

次の――線のカタカナにあてはまる漢字をそれぞれのア〜オから1つ選び、記号で答えなさい。

①王がシ客を放つ。（　）
②要シをまとめる。（　）
③シ雄を決する戦いだ。（　）
（ア旨　イ雌　ウ師　エ資　オ刺）

④年金はフ課方式だ。（　）
⑤フ通の生活を送る。（　）
⑥食品がフ敗する。（　）
（ア賦　イ普　ウ負　エ腐　オ婦）

3　類義語

1問2点　／10

後の□の中のひらがなを漢字に直して、類義語を作りなさい。□の中のひらがなは1度だけ使い、漢字1字を書きなさい。

①雑踏―□雑
②隷属―服□
③苦労―難□
④失業―失□
⑤応援―加□

ぎ・こん・じゅう・しょく・せい

（前ページからの続き）

③動物と人間が供存する世界。（　）［　］
④二次災外の防止案を提示する。（　）［　］
⑤発展途上国に経済的な視援をする。（　）［　］
⑥特別尊失として計上する案件だ。（　）［　］
⑦有名な温泉が展在する地域だ。（　）［　］
⑧代表者の選定で経験を比格する。（　）［　］

6　書き取り

1問2点　／16

次の――線のカタカナを漢字に直しなさい。

①午後からライウになる。（　）
②昔から体はジョウブだ。（　）
③世間イッパンの話をする。（　）
④新しい問題がフジョウする。（　）
⑤迷える羊をミチビく。（　）
⑥やる気がカラマワりする。（　）
⑦大根を厚いワギりにした。（　）
⑧温泉街に湯ケムリが上がる。（　）

Goal

解ければ安心

16回目

第17回 ミニテスト

よく出る

目標 10 分

月　日

/86点 目標61点

解答：別冊P.13

1 読み

1問1点　/10

次の――線の**漢字の読み**を**ひらがな**で書きなさい。

① 岩塩はミネラルを**含有**する。（　）
② 戦いを**傍観**する。（　）
③ **優雅**な生活を送る。（　）
④ 楽しく**民謡**を歌う。（　）
⑤ 事の**経緯**を話した。（　）
⑥ 事故に**即応**した態勢だ。（　）
⑦ **薬剤**を使用する。（　）
⑧ 楽しくて心が**弾**む。（　）
⑨ ライバルと**矛**を交える。（　）
⑩ 小さなことで**悩**む。（　）

4 送りがな

1問2点　/20

次の――線の**カタカナ**を**漢字1字**と**送りがな（ひらがな）**に直しなさい。

① 机の中が**ミダレ**ている。（　）
② 顔が幸せに**ミチル**。（　）
③ 彼とは**シタシイ**間がらだ。（　）
④ パンをたべすぎて**コエ**た。（　）
⑤ 村の風習に**ナレル**。（　）
⑥ **カロヤカナ**ステップだ。（　）
⑦ 客人として**マネク**。（　）
⑧ 事実に**モトヅイ**て話す。（　）
⑨ **タダチニ**立ち去った。（　）
⑩ **エライ**人に認められる。（　）

5 四字熟語

1問2点　/20

次の**四字熟語**の――線の**カタカナ**を**漢字**に直し、**2字**を書きなさい。

① 創意工**フウ**をこらす。（　）
② **キ**機一髪で助かった。（　）
③ どんなときも油**ダン**大敵だ。（　）

Start　とてもよく出る ←　よく出る ←

2 漢字識別

次の3つの□に**共通する漢字**を入れて熟語を作りなさい。漢字は[　]から**1つ**選び、**記号**で答えなさい。

1問2点　／10

① □石・岩□・円□　（　　）
② □味・□客・□事　（　　）
③ 悲□・□敗・□状　（　　）
④ 皮□・油□・樹□　（　　）
⑤ 連□・□骨・□国　（　　）

ア 脂	**イ** 盤	**ウ** 珍	**エ** 小	**オ** 喜
カ 更	**キ** 惨	**ク** 盗	**ケ** 維	**コ** 鎖

3 対義語

後の[　]の中のひらがなを漢字に直して、**対義語**を作りなさい。[　]の中のひらがなは**1度だけ**使い、**漢字1字**を書きなさい。

1問2点　／10

① 悲嘆－□喜
② 建設－破□
③ 複雑－単□
④ 祖先－子□
⑤ 加熱－冷□

かい・かん・きゃく・じゅん・そん

④ 空前**ゼツ**後の出来事が起きた。（　　）
⑤ 人**メン**獣心の行動だ。（　　）
⑥ 率先垂**ハン**を意識する。（　　）
⑦ 発言が外交**ジ**令と見ぬく。（　　）
⑧ 行**ウン**流水をモットーとする。（　　）
⑨ **メイ**鏡止水の心持ちで試合をする。（　　）
⑩ 相手に無理**ナン**題をつきつける。（　　）

6 書き取り

次の――線の**カタカナ**を**漢字**に直しなさい。

1問2点　／16

① 自分の**ヒミツ**を共有する。（　　）
② 祖父の**カイゴ**が大変だ。（　　）
③ **メイロ**のような城だ。（　　）
④ 静かに**ショッキ**を置く。（　　）
⑤ 選手のミスを**セ**める。（　　）
⑥ **ココロザシ**を高く持つ。（　　）
⑦ **オ**いても元気に生きる。（　　）
⑧ 虫の声に耳を**ス**ます。（　　）

第18回

ミニテスト

よく出る

目標 10 分

月　日

/90点

目標63点

解答：別冊P.13

1 読み

次の——線の**漢字の読み**を**ひらがな**で書きなさい。

① バナナは今年、**凶作**だ。（　　）
② クラス全員で**黙読**する。（　　）
③ 女性の**秀麗**な姿を見る。（　　）
④ **奇抜**なデザインの作品だ。（　　）
⑤ トラックの**積載**量を聞く。（　　）
⑥ 町長が**雄弁**に語る。（　　）
⑦ **吹奏**楽部に入る。（　　）
⑧ 地面をひたすら**掘**る。（　　）
⑨ **偉**い人と話をする。（　　）
⑩ **髪飾**りをプレゼントする。（　　）

1問1点　/10

4 熟語の構成

熟語の構成のしかたには次のようなものがあります。

ア 同じような意味の漢字を重ねたもの（例…**岩石**）
イ 反対または対応の意味を表す字を重ねたもの（例…**高低**）
ウ 上の字が下の字を修飾しているもの（例…**洋画**）
エ 下の字が上の字の目的語・補語になっているもの（例…**着席**）
オ 上の字が下の字の意味を打ち消しているもの（例…**非常**）

①～⑪の**熟語**は、右の**ア**～**オ**のどれにあたるか、**1つ**選び、**記号**で答えなさい。

① 利害（　　）
② 巨大（　　）
③ 攻守（　　）
④ 握力（　　）
⑤ 運搬（　　）
⑥ 休暇（　　）
⑦ 曇天（　　）
⑧ 不朽（　　）
⑨ 脱帽（　　）
⑩ 詳細（　　）
⑪ 退陣（　　）

1問2点　/22

5 四字熟語

次の**四字熟語**の——線の**カタカナ**を**漢字**に直し、**2字**を書きなさい。

① 心機一**テン**して仕事にはげむ。（　　）
② 一日千**シュウ**の思いで過ごす。（　　）
③ 平身低**トウ**で謝る。（　　）

1問2点　/20

Start　とてもよく出る　よく出る

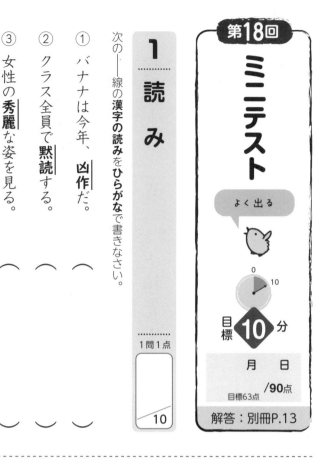

2 同音・同訓異字

1問2点　/12

次の──線のカタカナにあてはまる漢字をそれぞれの**ア**～**オ**から**1つ**選び、**記号**で答えなさい。

①技を**ケイ**承する。（　）
②現代科学の恩**ケイ**を受けた。（　）
③最近の**ケイ**向がわかる。（　）

（**ア**傾　**イ**恵　**ウ**軽　**エ**経　**オ**継）

④**トウ**明のグラスを持つ。（　）
⑤店で**トウ**品を見つける。（　）
⑥**トウ**突に話をされた。（　）

（**ア**党　**イ**討　**ウ**透　**エ**盗　**オ**唐）

3 類義語

1問2点　/10

後の［　］の中のひらがなを漢字に直して、**類義語**を作りなさい。［　］の中のひらがなは**1度だけ**使い、**漢字1字**を書きなさい。

①閉口－困□
②死亡－□界
③介抱－□護
④追憶－□回
⑤筋道－脈□

［かん・そう・た・らく・わく］

④三寒四**オン**の季節。（　）
⑤**キ**死回生の一手を放った。（　）
⑥作品を自画自**サン**する。（　）
⑦彼は前**ト**有望な若者だ。（　）
⑧人生は**ショ**行無常だ。（　）
⑨思**リョ**分別のある大人になる。（　）
⑩花**チョウ**風月を味わう。（　）

6 書き取り

1問2点　/16

次の──線の**カタカナ**を**漢字**に直しなさい。

①**センパイ**と二人で帰る。（　）
②**ゴウカイ**に笑い飛ばす。（　）
③服に**ボウスイ**加工を行う。（　）
④国民には**ノウゼイ**の義務がある。（　）
⑤すっかり調子が**クル**う。（　）
⑥妹はすぐに**ヨワネ**を言う。（　）
⑦**ケワ**しい山道を歩く。（　）
⑧**ハゲ**しい運動で息が上がる。（　）

Goal

第19回
ミニテスト
よく出る
目標 10 分
月　日
/74点
目標52点
解答：別冊P.14

1 読み
1問1点　/10

次の――線の**漢字の読み**を**ひらがな**で書きなさい。

① 非現実的な提案を**黙殺**する。（　　）
② 優勝して賞金を**獲得**した。（　　）
③ **栄誉**ある仕事を受ける。（　　）
④ **就寝**前に本を読む。（　　）
⑤ 彼は話をいつも**誇張**する。（　　）
⑥ テニスの**妙技**を見せる。（　　）
⑦ それは法律に**抵触**する。（　　）
⑧ **恵**まれた人生だ。（　　）
⑨ 試合もいよいよ**大詰**めだ。（　　）
⑩ **珍**しいきのこを見つける。（　　）

4 部首
1問1点　/10

次の漢字の**部首**を**ア〜エ**から**1つ**選び、**記号**で答えなさい。

① 雌（ア匕　イ比　ウノ　エ隹）（　　）
② 軒（ア車　イ一　ウ十　エ干）（　　）
③ 驚（ア艹　イ攵　ウ馬　エ灬）（　　）
④ 歓（アノ　イ二　ウ隹　エ欠）（　　）
⑤ 帽（ア冂　イ巾　ウ日　エ目）（　　）
⑥ 蓄（ア艹　イ亠　ウ玄　エ田）（　　）
⑦ 突（ア宀　イ穴　ウ儿　エ大）（　　）
⑧ 監（ア匚　イ臣　ウ一　エ皿）（　　）
⑨ 響（ア幺　イ艮　ウ阝　エ音）（　　）
⑩ 粒（ア米　イ丨　ウ木　エ立）（　　）

5 誤字訂正
1問2点　/16

次の各文にまちがって使われている**同じ読みの漢字**が**1字**あります。**上に誤字**を、**下に正しい漢字**を書きなさい。

　誤　正
① 憶則で展開された批判に反論する。（　　）〔　　〕
② 民間組織に課盟し役割を果たす。（　　）〔　　〕

とてもよく出る　Start
よく出る

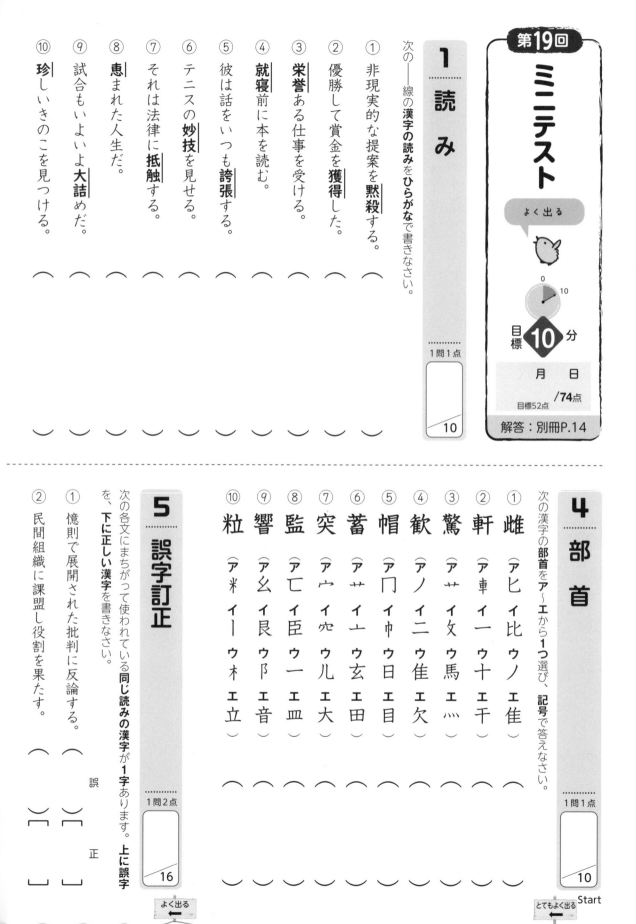

2 同音・同訓異字

1問2点　／12

次の――線の**カタカナ**にあてはまる漢字をそれぞれの**ア**～**オ**から**1つ**選び、**記号**で答えなさい。

① 祖母は信**コウ**心が厚い。（　）
② はげしい**コウ**防になる。（　）
③ **コウ**久的に存続する。（　）
（**ア** 攻　**イ** 功　**ウ** 仰　**エ** 項　**オ** 恒）

④ 自分の旧**セイ**を教える。（　）
⑤ 地方に遠**セイ**する。（　）
⑥ 苦心して**セイ**鋭を集める。（　）
（**ア** 勢　**イ** 制　**ウ** 精　**エ** 姓　**オ** 征）

3 対義語

1問2点　／10

後の□の中のひらがなを漢字に直して、**対義語**を作りなさい。□の中のひらがなは**1度だけ**使い、**漢字1字**を書きなさい。

① 終盤―□盤
② 抵抗―服□
③ 継承―断□
④ 凶作―□作
⑤ 厳寒―□暑

じゅう・じょ・ぜつ・ほう・もう

---

③ 研究者が劇論し有意義な結論に至る。（　）［　］
④ 複数期連続で源収の状況だ。（　）［　］
⑤ 売上好長で、史上初の快挙だ。（　）［　］
⑥ 準番になり初老の人物に案内された。（　）［　］
⑦ 弱点を補興し品質を向上させる。（　）［　］
⑧ 湖上を遊乱する大型船に乗船する。（　）［　］

6 書き取り

1問2点　／16

次の――線の**カタカナ**を**漢字**に直しなさい。

① **ジマン**の庭を客に見せる。（　）
② 水で**マンパイ**にする。（　）
③ 急に**タイド**を変える。（　）
④ 私の**スイサツ**はおそらく正しい。（　）
⑤ 法に照らして**サバ**く。（　）
⑥ **シリゾ**きながら隊を守る。（　）
⑦ 人に仕事を**マカ**せる。（　）
⑧ 木の**ミキ**にもたれかかる。（　）

第20回

ミニテスト

よく出る

目標 10 分

月　日

/86点

目標61点

解答：別冊P.14

1 読み

次の——線の**漢字の読み**を**ひらがな**で書きなさい。

1問1点　/10

① 美しい風景を**投影**する。（　　）

② 母が**軒先**で話をする。（　　）

③ いくつか**箇条**書きにする。（　　）

④ **交替**で実験をする。（　　）

⑤ **粒子**の研究を行う。（　　）

⑥ 過去の思いを**吐露**する。（　　）

⑦ サンタが**煙突**から入る。（　　）

⑧ 危険を**冒**して試す。（　　）

⑨ **趣**のある部屋だ。（　　）

⑩ **甘**みのある肉を食べる。（　　）

4 送りがな

次の——線の**カタカナ**を**漢字1字**と**送りがな（ひらがな）**に直しなさい。

1問2点　/20

① 一週間前に買った肉が**クサル**。（　　）

② 暖かい風が**ココロヨイ**。（　　）

③ 言われたことに**シタガウ**。（　　）

④ 余計なパーツを取り**ノゾク**。（　　）

⑤ 長男の合格を**イワウ**。（　　）

⑥ 事件の犯人を**サバク**。（　　）

⑦ 父が家族を**ヤシナウ**。（　　）

⑧ **シアワセナ**ひと時だ。（　　）

⑨ 予約した名を**ツゲル**。（　　）

⑩ **ヒサシク**会っていない。（　　）

5 四字熟語

次の**四字熟語**の——線の**カタカナ**を**漢字**に直し、**2字**を書きなさい。

1問2点　/20

① 自然界は**テキ**者生存だ。（　　）

② これにて一件**ラク**着だ。（　　）

③ 古**コン**東西の歴史にくわしい。（　　）

Start　とてもよく出る ←

よく出る ←

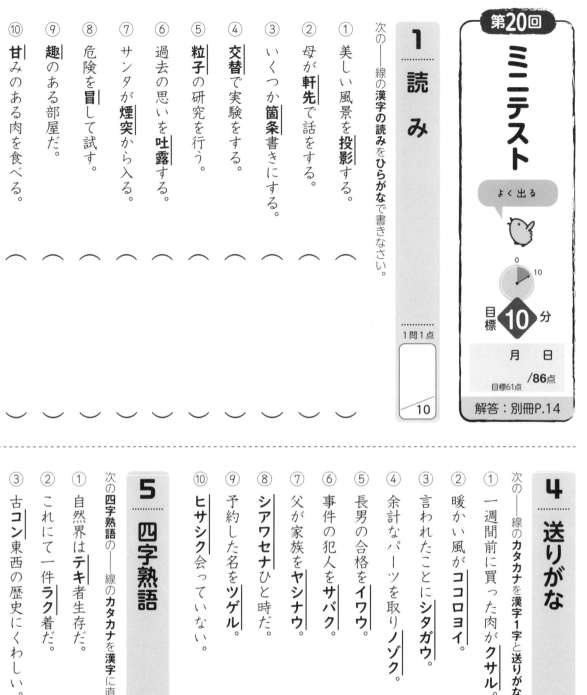

2 漢字識別

次の3つの□に**共通する漢字**を入れて熟語を作りなさい。漢字は［　］から**1つ**選び、**記号**で答えなさい。

1問2点　／10

① □細・□報・不□　（　　）
② 生□・□産・利□　（　　）
③ 光□・色□・水□　（　　）
④ 来□・夜□・世□　（　　）
⑤ 平□・非□・□人　（　　）

ア 殖　**イ** 微　**ウ** 襲　**エ** 米　**オ** 凡
カ 彩　**キ** 理　**ク** 週　**ケ** 詳　**コ** 線

3 類義語

後の［　］の中のひらがなを漢字に直して、**類義語**を作りなさい。［　］の中のひらがなは**1度だけ**使い、**漢字1字**を書きなさい。

1問2点　／10

① 輸送―運□
② 堤防―□手
③ 改定―変□
④ 支度―□備
⑤ 周到―□入

こう・じゅん・ど・ねん・ぱん

④ 弱肉**キョウ**食の世界だ。（　　）
⑤ 大義名**ブン**をかかげる。（　　）
⑥ 多事多**タン**の半年だった。（　　）
⑦ 門戸**カイ**放の方針を決めた。（　　）
⑧ 温**コ**知新を命題とする。（　　）
⑨ **アク**逆無道のふるまいだ。（　　）
⑩ 意味**シン**長な発言だ。（　　）

6 書き取り

次の――線の**カタカナ**を**漢字**に直しなさい。

1問2点　／16

① 現場から**トウソウ**した。（　　）
② **シボウ**の少ない肉を選ぶ。（　　）
③ 友人を**ショウカイ**する。（　　）
④ 試験の出題**ハンイ**を確認する。（　　）
⑤ 上空から日本を**ノゾ**む。（　　）
⑥ ボートが**オキ**まで流された。（　　）
⑦ 虫に**サ**された所が痛む。（　　）
⑧ ぶつかって**ニブ**い音がした。（　　）

Goal

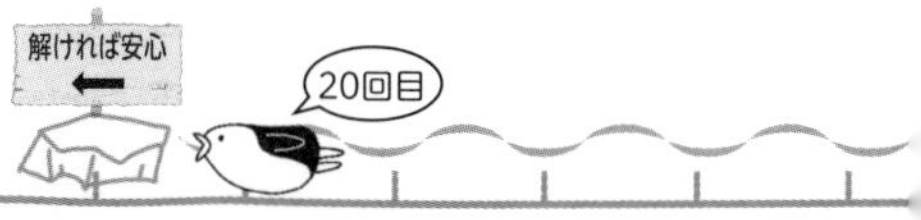

第21回 ミニテスト

解ければ安心！

目標 10 分

月　日

/90点

目標63点

解答：別冊P.14

1 読み

1問1点　/10

次の——線の**漢字の読み**を**ひらがな**で書きなさい。

① 遅れて**違約**金が発生する。（　　）
② 家の前の道路を**舗装**する。（　　）
③ **丹精**こめた作品だ。（　　）
④ 新しい考え方が**普及**する。（　　）
⑤ 荷物を**満載**して出発する。（　　）
⑥ 空を**仰**いでため息をつく。（　　）
⑦ 友人が田舎で**療養**する。（　　）
⑧ 非難の**矛先**を向ける。（　　）
⑨ **誠**に申し訳ないと思う。（　　）
⑩ **厳**しい態度をとる。（　　）

4 熟語の構成

1問2点　/22

熟語の構成のしかたには次のようなものがあります。

- **ア** 同じような意味の漢字を重ねたもの（例…**岩石**）
- **イ** 反対または対応の意味を表す字を重ねたもの（例…**高低**）
- **ウ** 上の字が下の字を修飾しているもの（例…**洋画**）
- **エ** 下の字が上の字の目的語・補語になっているもの（例…**着席**）
- **オ** 上の字が下の字の意味を打ち消しているもの（例…**非常**）

①～⑪の**熟語**は、右の**ア～オ**のどれにあたるか、**1つ**選び、**記号**で答えなさい。

① 無尽（　）
② 帰途（　）
③ 抜群（　）
④ 思慮（　）
⑤ 劣悪（　）
⑥ 越境（　）
⑦ 獲得（　）
⑧ 乾杯（　）
⑨ 屈指（　）
⑩ 珍事（　）
⑪ 雅俗（　）

とてもよく出る

Start

5 四字熟語

1問2点　/20

次の**四字熟語**の——線の**カタカナ**を**漢字**に直し、**2字**を書きなさい。

① 二人は意気**トウ**合した。（　　）
② 一**キョ**一動を見守る。（　　）
③ 痛い目を見たのは**イン**果応報だ。（　　）

よく出る

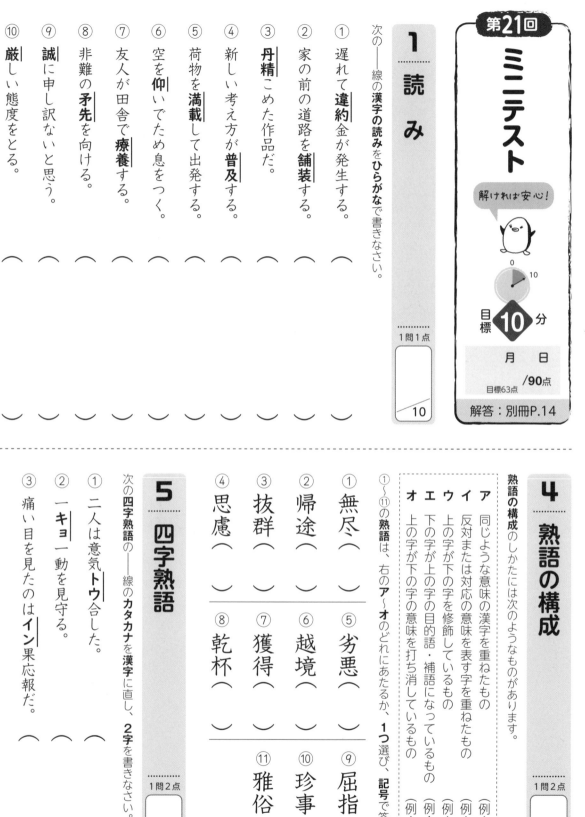

2 同音・同訓異字

次の——線のカタカナにあてはまる漢字をそれぞれのア～オから1つ選び、記号で答えなさい。

1問2点　／12

① 商品をハン入する。（　）
② チームの規ハンになる。（　）
③ 都市がハン栄する。（　）
（ア 繁　イ 範　ウ 搬　エ 犯　オ 版）

④ 大雨のヒ害を受ける。（　）
⑤ ヒ岸花を生ける。（　）
⑥ 体にヒ労がたまる。（　）
（ア 比　イ 被　ウ 彼　エ 疲　オ 秘）

3 対義語

後の［　］の中のひらがなを漢字に直して、対義語を作りなさい。［　］の中のひらがなは1度だけ使い、漢字1字を書きなさい。

1問2点　／10

① 中止－□続
② 深夜－□昼
③ 歳末－年□
④ 閉鎖－開□
⑤ 老齢－□年

［けい・とう・はく・ほう・よう］

④ 独立自ソンの気持ちを大事にする。（　）
⑤ 自力コウ生の道を歩む。（　）
⑥ 急テン直下の事態となった。（　）
⑦ 同ショウ異夢になるのをさける。（　）
⑧ 意表をつく話に抱フク絶倒した。（　）
⑨ 即断即ケツの男でありたい。（　）
⑩ 一心不ランに勉強する。（　）

6 書き取り

次の——線のカタカナを漢字に直しなさい。

1問2点　／16

① 隣国とドウメイを結んだ。（　）
② 町内をジュンカイする。（　）
③ エアコンがコショウした。（　）
④ ツウジョウ営業にもどる。（　）
⑤ 大きなウツワを買う。（　）
⑥ 指をハリで刺した。（　）
⑦ 車が通るハバがない。（　）
⑧ さらにキズグチを広げる。（　）

Goal　満腹　解けたら安心　21回目

第22回
ミニテスト

目標 10 分

月　日

/74点

目標52点

解答：別冊P.15

1 読み

次の——線の漢字の読みをひらがなで書きなさい。

① 海の**干拓**事業を進める。（　　）
② **詳細**な資料を作る。（　　）
③ **微細**なことを気にする。（　　）
④ 対応に**苦慮**する出来事だ。（　　）
⑤ **淡泊**な性格の人だ。（　　）
⑥ 現実から**逃避**する。（　　）
⑦ **製薬**学校に進学する。（　　）
⑧ 彼は**世渡り**が上手だ。（　　）
⑨ 店が**手狭**になる。（　　）
⑩ 自分の言動を**省**みる。（　　）

1問1点　/10

4 部首

次の漢字の**部首**を**ア～エ**から**1つ**選び、**記号**で答えなさい。

① 却（ア 土　イ 厶　ウ ｜　エ 卩）（　　）
② 倒（ア 亻　イ 土　ウ 至　エ 刂）（　　）
③ 吹（ア 口　イ ノ　ウ 人　エ 欠）（　　）
④ 敏（ア ノ　イ 母　ウ 攵　エ 又）（　　）
⑤ 更（ア 一　イ 日　ウ 田　エ 尢）（　　）
⑥ 座（ア 亠　イ 广　ウ 人　エ 土）（　　）
⑦ 範（ア ⺮　イ 車　ウ ｜　エ 㔾）（　　）
⑧ 環（ア 王　イ 罒　ウ 一　エ 口）（　　）
⑨ 幾（ア 幺　イ 人　ウ 一　エ 戈）（　　）
⑩ 鮮（ア 田　イ 灬　ウ 魚　エ 羊）（　　）

1問1点　/10

5 誤字訂正

次の各文にまちがって使われている**同じ読みの漢字**が**1字**あります。**上に誤字**を、**下に正しい漢字**を書きなさい。

① 組織の運衛担当者に感謝する。　誤（　　）正［　　］
② 産業各命で技術が急速に発展した。　誤（　　）正［　　］

1問2点　/16

とてもよく出る　Start

よく出る

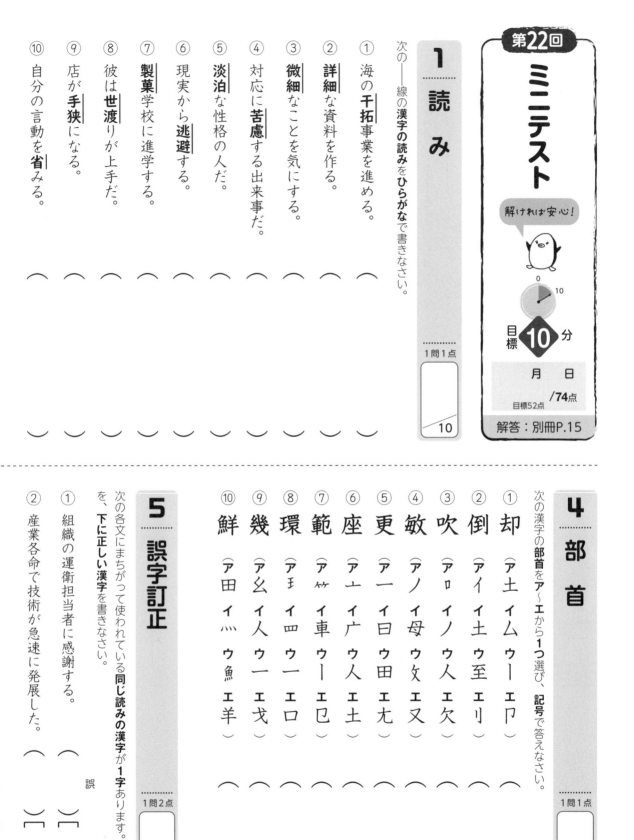

2 同音・同訓異字

1問2点　/12

次の——線の**カタカナ**にあてはまる漢字をそれぞれの**ア**〜**オ**から**1つ**選び、**記号**で答えなさい。

① おみくじが大**キョウ**だ。（　　）
② 状**キョウ**を知らせる。（　　）
③ 絶**キョウ**マシーンに乗る。（　　）
（**ア** 叫　**イ** 郷　**ウ** 凶　**エ** 況　**オ** 興）

④ 食べすぎて馬が**コ**えた。（　　）
⑤ 山を**コ**えていく。（　　）
⑥ **コ**いコーヒーを飲む。（　　）
（**ア** 越　**イ** 濃　**ウ** 肥　**エ** 来　**オ** 込）

3 類義語

1問2点　/10

後の[　]の中のひらがなを漢字に直して、**類義語**を作りなさい。[　]の中のひらがなは**1度だけ**使い、**漢字1字**を書きなさい。

① 支援—助□
② 永遠—□久
③ 同意—□認
④ 認可—□可
⑤ 守備—防□

[きょ・ぎょ・こう・しょう・りょく]

③ 悪質な飲酒運転が険挙された。（　　）［　　］
④ 昼食の前後は困雑が予想される。（　　）［　　］
⑤ 飲食店に制然たる行列が並ぶ。（　　）［　　］
⑥ 祖父の職書を個室で読みあさる。（　　）［　　］
⑦ 栄養素に俳慮した新製品だ。（　　）［　　］
⑧ 集合時間に間に合わず鳴惑をかける。（　　）［　　］

6 書き取り

1問2点　/16

次の——線の**カタカナ**を**漢字**に直しなさい。

① 知人から**ミョウ**な話を聞いた。（　　）
② 夢中で**マンガ**を読む。（　　）
③ **コウハイ**から花束をもらう。（　　）
④ 来月**ジョウジュン**に帰る。（　　）
⑤ 大声で名前を**ヨ**ぶ。（　　）
⑥ **イズミ**から水がわき出る。（　　）
⑦ 街で**メズラ**しい人に会った。（　　）
⑧ 細い穴に**クダ**を通す。（　　）

Goal

第23回 ミニテスト

解ければ安心！

目標 10 分

月　日

/86点

目標61点

解答：別冊P.15

1 読み

1問1点　/10

次の――線の**漢字の読み**を**ひらがな**で書きなさい。

① 遠方の父に**近況**を伝える。（　　）
② 荷物が**遅配**する。（　　）
③ **歓呼**の声が聞こえる。（　　）
④ **惨状**を目の当たりにする。（　　）
⑤ **扇子**でぱたぱたとあおぐ。（　　）
⑥ **劣等**感がなくならない。（　　）
⑦ 広場の**愛称**を決める。（　　）
⑧ **箱詰**めのお茶をもらう。（　　）
⑨ つながれた**鎖**をたち切る。（　　）
⑩ お菓子に関わる仕事に**就**く。（　　）

4 送りがな

1問2点　/20

次の――線の**カタカナ**を**漢字1字**と**送りがな（ひらがな）**に直しなさい。

① 美しい景色を**ノゾム**。（　　）
② 新しいパソコンが**ホシイ**。（　　）
③ 新人に大役を**マカセル**。（　　）
④ ライトが机の上を**テラス**。（　　）
⑤ つらくて頭を**タレル**。（　　）
⑥ プロ野球選手を**ココロザス**。（　　）
⑦ 毎朝ゴミを**ステル**係だ。（　　）
⑧ あと一歩のところで**マケル**。（　　）
⑨ 命令に**サカラウ**。（　　）
⑩ キツネが人に**バケル**。（　　）

5 四字熟語

1問2点　/20

次の**四字熟語**の――線の**カタカナ**を**漢字**に直し、**2字**を書きなさい。

① **ナン**攻不落な問題に取り組む。（　　）
② 一**バツ**百戒を実行した。（　　）
③ 旧態**イ**然とした体制だ。（　　）

とてもよく出る ← Start

よく出る ←

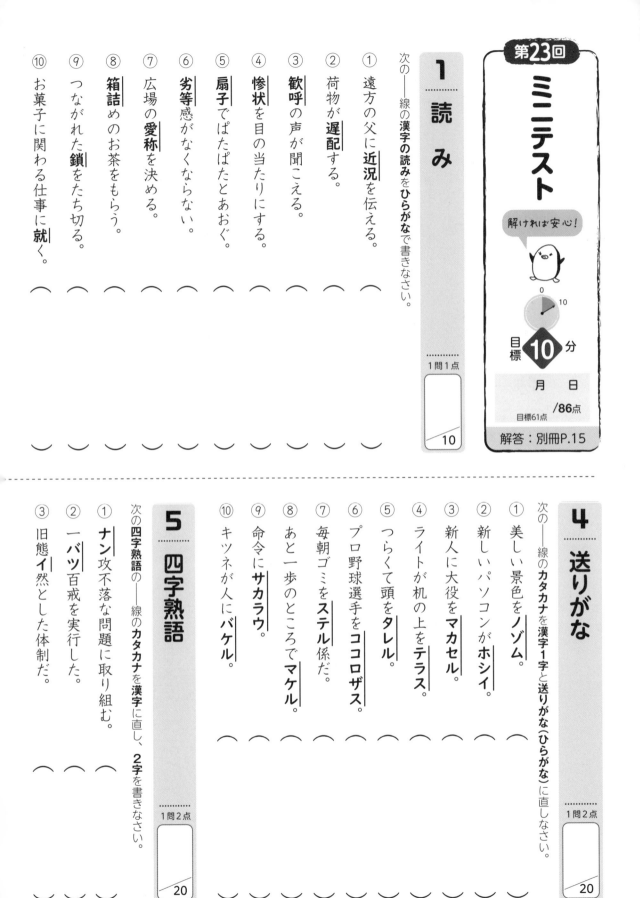

2 漢字識別

次の３つの□に**共通する漢字**を入れて熟語を作りなさい。漢字は[　]から**１つ**選び、**記号**で答えなさい。

1問2点　／10

① □角・相□・交□　（　）
② □業・□人・□大　（　）
③ □在・仲□・□護　（　）
④ 一□・合□・極□　（　）
⑤ □争・□議・反□　（　）

ア 偉	**イ** 画	**ウ** 林	**エ** 抗	**オ** 致
カ 互	**キ** 遅	**ク** 介	**ケ** 般	**コ** 潜

3 対義語

後の[　]の中のひらがなを漢字に直して、**対義語**を作りなさい。[　]の中のひらがなは**１度だけ**使い、**漢字１字**を書きなさい。

1問2点　／10

① 早成 ― □成
② 短縮 ― □長
③ 破壊 ― 建□
④ 慎重 ― 軽□
⑤ 逃亡 ― 追□

えん・せき・せつ・そつ・ばん

④ その提案は言語道**ダン**だ。（　）
⑤ 金城鉄**ペキ**の部隊と戦う。（　）
⑥ **ヒン**行方正の人物は信じられる。（　）
⑦ 晴**コウ**雨読の生活を夢見る。（　）
⑧ 今年一年の無病息**サイ**を願う。（　）
⑨ その後の行いで汚名**ヘン**上した。（　）
⑩ 彼は**メイ**朗快活で素晴らしい。（　）

6 書き取り

次の――線の**カタカナ**を**漢字**に直しなさい。

1問2点　／16

① **センメン**台を取りつける。（　）
② **ヘイボン**な人生も幸せだ。（　）
③ 家族の**レンラク**を待つ。（　）
④ 若い**ソウ**がお経を唱える。（　）
⑤ **アマクチ**のたれを好む。（　）
⑥ 急な**トウゲ**を越えた。（　）
⑦ **ハナタバ**をプレゼントする。（　）
⑧ 早くも日が**ク**れた。（　）

Goal

第24回 ミニテスト

目標 10 分

月　日

/90点

目標63点

解答：別冊P.15

1 読み

1問1点　/10

次の――線の**漢字の読み**を**ひらがな**で書きなさい。

① すられた**形跡**がない。（　　）
② 株価がしばらく**低迷**する。（　　）
③ **耐久**性に優れたガラス。（　　）
④ ダイヤを**採掘**する。（　　）
⑤ **極秘**任務を実行する。（　　）
⑥ 現場から**救援**を求める。（　　）
⑦ 世界**征服**の野望がある。（　　）
⑧ 増水して**堤**が切れる。（　　）
⑨ 新たな**門出**を祝う。（　　）
⑩ 話がおもしろくて牛乳を**噴**く。（　　）

4 熟語の構成

1問2点　/22

熟語の構成のしかたには次のようなものがあります。

ア　同じような意味の漢字を重ねたもの　（例…**岩石**）
イ　反対または対応の意味を表す字を重ねたもの　（例…**高低**）
ウ　上の字が下の字を修飾しているもの　（例…**洋画**）
エ　下の字が上の字の目的語・補語になっているもの　（例…**着席**）
オ　上の字が下の字の意味を打ち消しているもの　（例…**非常**）

①〜⑪の**熟語**は、右の**ア**〜**オ**のどれにあたるか、**1つ**選び、**記号**で答えなさい。

① 不振（　）
② 弾力（　）
③ 失脚（　）
④ 旧暦（　）
⑤ 配慮（　）
⑥ 攻防（　）
⑦ 路傍（　）
⑧ 無為（　）
⑨ 未詳（　）
⑩ 越冬（　）
⑪ 戦闘（　）

5 四字熟語

1問2点　/20

次の**四字熟語**の――線の**カタカナ**を**漢字**に直し、**2字**を書きなさい。

① **ゼン**途多難な船出となった。（　　）
② 社長はいつでも冷静**チン**着だ。（　　）
③ 二人は以心**デン**心の関係だ。（　　）

よく出る ←

とてもよく出る ← Start

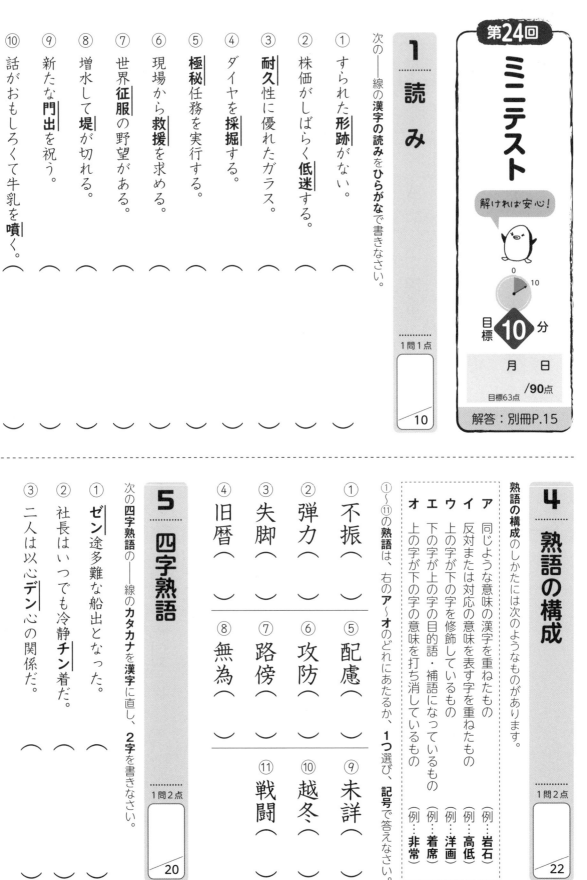

2 同音・同訓異字

1問2点　／12

次の――線のカタカナにあてはまる漢字をそれぞれのア〜オから1つ選び、記号で答えなさい。

① 友に寄りソう。
② 背中をソってよける。
③ きれいなソめ物だ。

（ア 初　イ 祖　ウ 添　エ 反　オ 染）

④ 感タンの声をもらす。
⑤ タン田に力をこめる。
⑥ タン整な顔だちだ。

（ア 丹　イ 嘆　ウ 単　エ 探　オ 端）

3 類義語

1問2点　／10

後の［　］の中のひらがなを漢字に直して、類義語を作りなさい。［　］の中のひらがなは1度だけ使い、漢字1字を書きなさい。

① 冷淡―□情
② 無視―□殺
③ 不意―□然
④ 最初―□頭
⑤ 可否―□非

［ぜ・とつ・はく・ぼう・もく］

④ 管理部門が独断センで行する。
⑤ 出来事を針小ボウ大につたえる。
⑥ 会社が一致ダン結した。
⑦ シュウ人環視の的となった。
⑧ 横で一部シ終を見ていた。
⑨ 昨日はセイ風明月だった。
⑩ 今度こそコウ機到来だ。

6 書き取り

1問2点　／16

次の――線のカタカナを漢字に直しなさい。

① 大雨にケイカイする。
② 空気がカンソウする。
③ 月までのキョリをはかる。
④ ヒーローをイクセイする。
⑤ 川の水がニゴる。
⑥ 魚がアミにかかる。
⑦ 頭をタれてしょげる。
⑧ テシオにかけてそだてる。

Goal

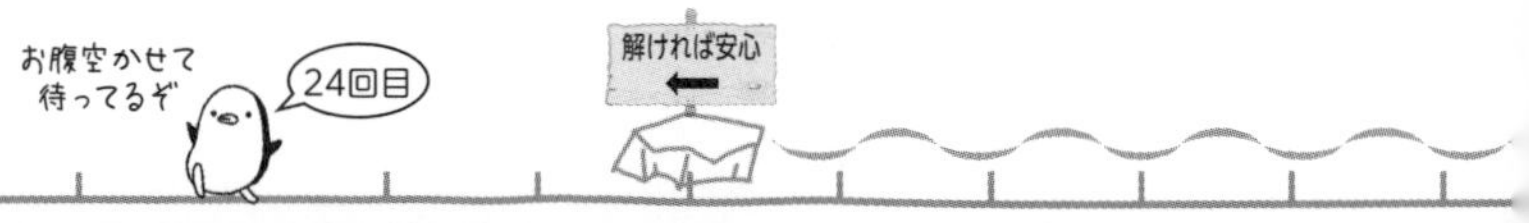
お腹空かせて待ってるぞ
24回目
解ければ安心

第25回 ミニテスト

目標 10分

月　日

/74点
目標52点

解答：別冊P.16

1 読み

次の——線の**漢字の読み**を**ひらがな**で書きなさい。

1問1点　/10

① ルーツは**依然**としてなぞだ。（　　）
② **必需**品を持って行く。（　　）
③ **行儀**よく座っている。（　　）
④ **絶妙**な間合いをとる。（　　）
⑤ これまでの**蓄積**だ。（　　）
⑥ **越境**して学びに行く。（　　）
⑦ 王の墓が**盗掘**される。（　　）
⑧ 人は動物に**含**まれるか。（　　）
⑨ 能力は対戦相手に**勝**る。（　　）
⑩ **斜**め上から発言する。（　　）

4 部首

次の漢字の**部首**を**ア〜エ**から**1つ**選び、**記号**で答えなさい。

1問1点　/10

① 甘（ア 一　イ 口　ウ 甘　エ 日）（　　）
② 劣（ア 亅　イ 小　ウ ノ　エ カ）（　　）
③ 票（ア 一　イ 覀　ウ 小　エ 示）（　　）
④ 奇（ア 一　イ 大　ウ 口　エ 亅）（　　）
⑤ 賦（ア 貝　イ ハ　ウ 止　エ 丶）（　　）
⑥ 離（ア 亠　イ 厶　ウ 冂　エ 隹）（　　）
⑦ 辞（ア ノ　イ 口　ウ 舌　エ 辛）（　　）
⑧ 脚（ア 月　イ 土　ウ 厶　エ 卩）（　　）
⑨ 露（ア 雨　イ 足　ウ 夂　エ 口）（　　）
⑩ 盆（ア 八　イ 刀　ウ 罒　エ 皿）（　　）

5 誤字訂正

次の各文にまちがって使われている**同じ読みの漢字**が**1字**あります。**上に誤字**を、**下に正しい漢字**を書きなさい。

1問2点　/16

誤　正

① 課物列車が夜間に線路を走る。（　　）［　　］
② 人類の起限の解明に力をつくす。（　　）［　　］

とてもよく出る ← Start
よく出る ←

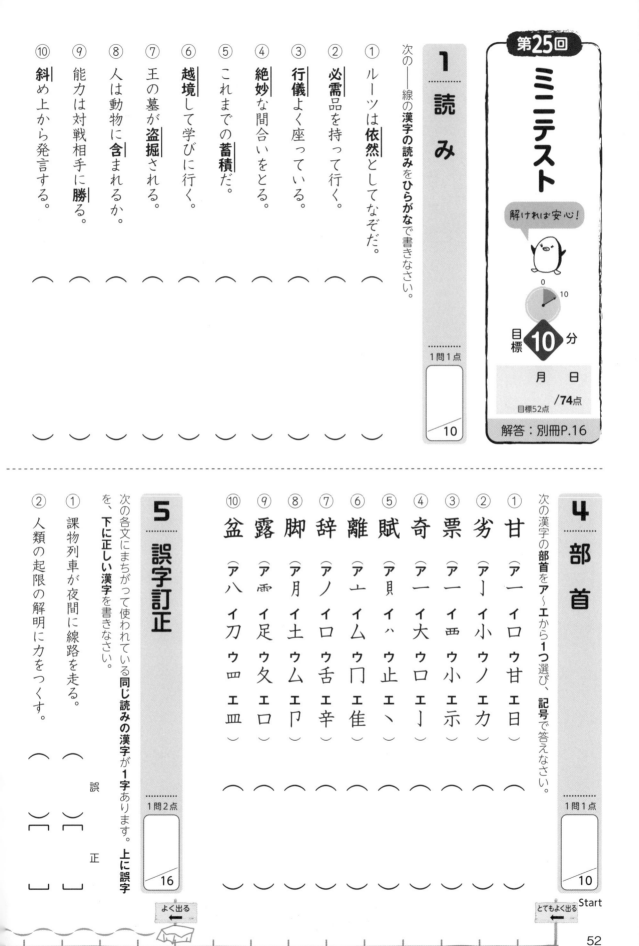

2 同音・同訓異字

1問2点　/12

次の――線の**カタカナ**にあてはまる漢字をそれぞれの**ア**～**オ**から**1つ**選び、**記号**で答えなさい。

① 歯型が一**チ**する。
② 時間に**チ**刻する。
③ **チ**骨を強打する。
（**ア** 恥　**イ** 知　**ウ** 致　**エ** 値　**オ** 遅）

④ **ハク**力のある物言いだ。
⑤ 思わず**ハク**手する。
⑥ ホテルに宿**ハク**する。
（**ア** 泊　**イ** 薄　**ウ** 迫　**エ** 拍　**オ** 白）

3 対義語

1問2点　/10

後の[　]の中のひらがなを漢字に直して、**対義語**を作りなさい。[　]の中のひらがなは**1度だけ**使い、**漢字1字**を書きなさい。

① 客席―□台
② 沈殿―□遊
③ 執着―□念
④ 年頭―□末
⑤ 受理―□下

[きゃっ・さい・だん・ふ・ぶ]

③ 広大な牧場で綿羊を資育する。
④ 難解な試健の合格通知がとどいた。
⑤ 外国人労働者への指動実績がある。
⑥ 親剣な表情で事の動静を見守る。
⑦ 棒戦一方の試合運びを改善した。
⑧ 会社の美品を大量発注する。

6 書き取り

1問2点　/16

次の――線の**カタカナ**を**漢字**に直しなさい。

① **バクダン**が投下された。
② 敗者に**バツ**を科する。
③ 鳥の声を**ロクオン**した。
④ **チイキ**を活性化する。
⑤ 買った品物が**トド**く。
⑥ 腕を思いきり**フ**りかぶる。
⑦ **ユカ**に手をついた。
⑧ **アワ**い紫色の花が咲く。

Goal

第26回 ミニテスト

目標 10 分

月　日

/86点

目標61点

解答：別冊P.16

1 読み

次の――線の**漢字の読み**を**ひらがな**で書きなさい。

1問1点　/10

① ヨモギが**繁茂**する。
② **旧暦**の正月を祝う。
③ 各所から**反響**があった。
④ **跳馬**にチャレンジする。
⑤ **非凡**な才能を有する。
⑥ **偉業**を成しとげる。
⑦ **与党**が主張を述べる。
⑧ 悪者に**襲**われる。
⑨ **沢**で水を飲む。
⑩ **汚**れた手を洗う。

4 送りがな

次の――線の**カタカナ**を**漢字1字**と**送りがな（ひらがな）**に直しなさい。

1問2点　/20

① 古代の宝を**サガス**。
② 落として皿が**カケル**。
③ **ウタガイ**の目で見られる。
④ この**アタリ**に野良犬がいる。
⑤ 言うことを聞かず**アバレル**。
⑥ **キヨラカナ**心を持っている。
⑦ キャベツを細かく**キザム**。
⑧ カーテンの向こうが**スケル**。
⑨ きれいな花を**イケル**。
⑩ **メズラシイ**品を買う。

5 四字熟語

次の**四字熟語**の――線の**カタカナ**を**漢字**に直し、**2字**を書きなさい。

1問2点　/20

① 急病人に応急**ショ**置を行った。
② 一意**セン**心につとめる。
③ 選手が熟**リョ**断行した。

とてもよく出る　Start

よく出る

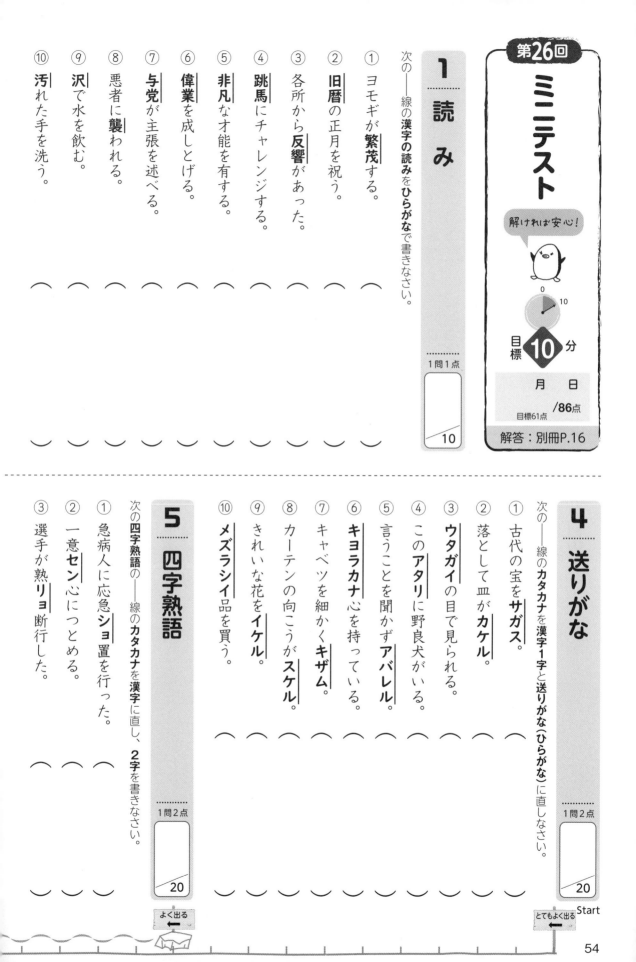

2 漢字識別

次の3つの□に**共通する漢字**を入れて熟語を作りなさい。漢字は[　]から**1つ**選び、**記号**で答えなさい。

1問2点　/10

① □金・□則・賞□　（　）
② □夫・□気・背□　（　）
③ □号・愛□・呼□　（　）
④ □続・後□・中□　（　）
⑤ □別・分□・□島　（　）

ア 罰	**イ** 戸	**ウ** 離	**エ** 相	**オ** 丈
カ 農	**キ** 称	**ク** 課	**ケ** 継	**コ** 番

3 類義語

後の[　]の中のひらがなを漢字に直して、**類義語**を作りなさい。[　]の中のひらがなは**1度だけ**使い、**漢字1字**を書きなさい。

1問2点　/10

① 結束―□結
② 脈絡―□道
③ 推量―□測
④ 修理―□修
⑤ 才能―□質

おく・すじ・そ・だん・ほ

---

④ 事実無**コン**の情報が流れる。（　）
⑤ 彼の**マン**言放語が許せない。（　）
⑥ 尋**ジョウ**一様な行動をとった。（　）
⑦ あの教授は**ハク**学多才だ。（　）
⑧ 彼は新進気**エイ**の作家だ。（　）
⑨ 二人三**キャク**で取り組んだ。（　）
⑩ 利害**トク**失ばかり考える。（　）

6 書き取り

次の――線の**カタカナ**を**漢字**に直しなさい。

1問2点　/16

① 新刊を**センデン**する。（　）
② **ノウミツ**な甘い味がした。（　）
③ 二色の色紙を**コウゴ**に重ねる。（　）
④ 電波が**ケンガイ**になった。（　）
⑤ **カタトキ**も忘れない。（　）
⑥ うれしい気持ちを**イダ**く。（　）
⑦ 話が通じるか**タメ**す。（　）
⑧ 小さな虫に**サワ**る。（　）

Goal
おかえり

第27回

ミニテスト

目標 10 分

月　日

/90点

目標63点

解答：別冊P.16

1 読み

1問1点　/10

次の――線の**漢字の読み**を**ひらがな**で書きなさい。

① 頑《がん》固な父に**困惑**する。（　　）

② 大きな家具を**搬入**する。（　　）

③ 赤点を**回避**して進級する。（　　）

④ 過去の**汚点**を知られる。（　　）

⑤ **平凡**な自分は捨てた。（　　）

⑥ **閉鎖**的な社会になる。（　　）

⑦ **縁起**のいい品だ。（　　）

⑧ 自分への**戒**めとする。（　　）

⑨ 思いを**推**し量る。（　　）

⑩ 練習が長くて**疲**れる。（　　）

4 熟語の構成

1問2点　/22

熟語の構成のしかたには次のようなものがあります。

ア　同じような意味の漢字を重ねたもの　（例…**岩石**）

イ　反対または対応の意味を表す字を重ねたもの　（例…**高低**）

ウ　上の字が下の字を修飾しているもの　（例…**洋画**）

エ　下の字が上の字の目的語・補語になっているもの　（例…**着席**）

オ　上の字が下の字の意味を打ち消しているもの　（例…**非常**）

①～⑪の**熟語**は、右の**ア～オ**のどれにあたるか、**1つ**選び、**記号**で答えなさい。

① 追跡（　）

② 橋脚（　）

③ 離陸（　）

④ 陰陽（　）

⑤ 敵陣（　）

⑥ 浮沈（　）

⑦ 越権（　）

⑧ 呼応（　）

⑨ 無恥（　）

⑩ 砂丘（　）

⑪ 珍奇（　）

5 四字熟語

1問2点　/20

次の**四字熟語**の――線の**カタカナ**を**漢字**に直し、**2字**を書きなさい。

① 会議で当意即**ミョウ**な返答をした。（　　）

② 一日千**シュウ**の思いだ。（　　）

③ 小**シン**翼々の部下をはげます。（　　）

Start　とてもよく出る ←　よく出る ←

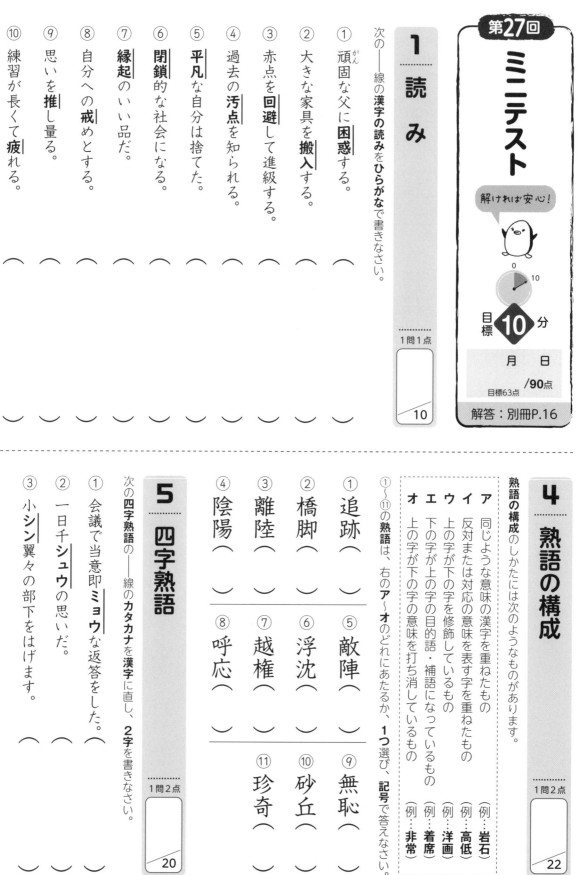

2 同音・同訓異字

次の——線の**カタカナ**にあてはまる漢字をそれぞれの**ア**～**オ**から**1つ**選び、**記号**で答えなさい。

1問2点　/12

① 高い**チョウ**躍力だ。（　）
② 食事代を**チョウ**収する。（　）
③ 時代の風**チョウ**に合わせる。（　）
（**ア** 跳　**イ** 潮　**ウ** 徴　**エ** 調　**オ** 帳）

④ 土地を**テイ**当に入れる。（　）
⑤ **テイ**防を見に行く。（　）
⑥ **テイ**気圧が近づく。（　）
（**ア** 体　**イ** 低　**ウ** 抵　**エ** 堤　**オ** 定）

3 対義語

後の[　]の中のひらがなを漢字に直して、**対義語**を作りなさい。[　]の中のひらがなは**1度だけ**使い、**漢字1字**を書きなさい。

1問2点　/10

① 正当―異□
② 却下―受□
③ 暗転―□転
④ 利益―□失
⑤ 憶測―□信

かく・こう・そん・たん・り

④ 人間は自己矛**ジュン**をはらむ。（　）
⑤ 前**ト**洋々たる人生を約束される。（　）
⑥ 弟は**ハク**志弱行なところがある。（　）
⑦ 満場一**チ**でA案に決まった。（　）
⑧ **イ**風堂々たるたたずまいだ。（　）
⑨ 彼の美辞**レイ**句にはだまされない。（　）
⑩ 優勝**レッ**敗の競争が激しい世界だ。（　）

6 書き取り

次の——線の**カタカナ**を**漢字**に直しなさい。

1問2点　/16

① 長い話を**ショウリャク**する。（　）
② **エイゾウ**による授業を受ける。（　）
③ 朝から**ズツウ**がする。（　）
④ **リョウシツ**な肉を食べる。（　）
⑤ 被害が広範囲に**オヨ**んだ。（　）
⑥ 打ったボールを**ト**る。（　）
⑦ 軽やかに笛を**フ**く。（　）
⑧ 深い**ヌマ**に気をつける。（　）

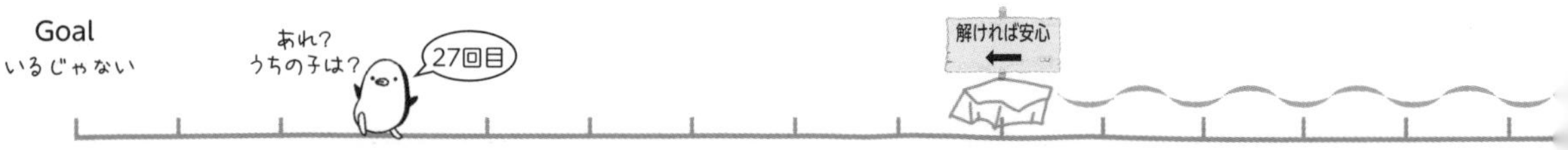
Goal
いるじゃない
あれ？
うちの子は？
27回目
解ければ安心

第28回
ミニテスト

解ければ安心!

目標10分

月　日

/74点

目標52点

解答：別冊P.17

1 読み

次の——線の**漢字の読み**を**ひらがな**で書きなさい。

① 水質**汚濁**が深刻だ。（　　）
② 母が**病床**にふす。（　　）
③ **前途**多難な人生だ。（　　）
④ **休眠**会員に声をかける。（　　）
⑤ 経理と営業を**兼務**する。（　　）
⑥ **敏腕**社員と呼ばれる。（　　）
⑦ **威勢**のいい受け答えだ。（　　）
⑧ 他国の土地を**侵**す。（　　）
⑨ クリスマスの**飾**り付けをする。（　　）
⑩ **公**の場で発言する。（　　）

1問1点　/10

4 部首

次の漢字の**部首**を**ア～エ**から**1つ**選び、**記号**で答えなさい。

① 屋（ア 尸　イ ム　ウ 土　エ 至）（　　）
② 震（ア ⻗　イ 厂　ウ 二　エ 辰）（　　）
③ 殖（ア 一　イ 歹　ウ 十　エ 目）（　　）
④ 即（ア 日　イ ム　ウ 艮　エ 卩）（　　）
⑤ 薪（ア 艹　イ 立　ウ 木　エ 斤）（　　）
⑥ 井（ア 一　イ 二　ウ ノ　エ 丨）（　　）
⑦ 微（ア 彳　イ 山　ウ 几　エ 攵）（　　）
⑧ 延（ア 廴　イ ノ　ウ 一　エ 止）（　　）
⑨ 盗（ア 冫　イ 欠　ウ 皿　エ 罒）（　　）
⑩ 壊（ア 土　イ 十　ウ 罒　エ 衣）（　　）

1問1点　/10

5 誤字訂正

次の各文にまちがって使われている**同じ読みの漢字**が**1字**あります。**上に誤字**を、**下に正しい漢字**を書きなさい。

誤　正

① 事業の集益構造を大きく変える。（　　）［　　］
② 試合の周盤で有名選手が登板する。（　　）［　　］

1問2点　/16

とてもよく出る　Start　よく出る

2 同音・同訓異字

1問2点　／12

次の――線の**カタカナ**にあてはまる漢字をそれぞれの**ア**～**オ**から**1つ**選び、記号で答えなさい。

① 受取**イン**をおす。（　）

② **イン**気な性格をかえる。（　）

③ **イン**居生活を送る。（　）

（**ア** 印　**イ** 因　**ウ** 引　**エ** 陰　**オ** 隠）

④ 助っ人を派**ケン**する。（　）

⑤ おたがいに真**ケン**に戦う。（　）

⑥ 一**ケン**先の家を訪ねる。（　）

（**ア** 遣　**イ** 険　**ウ** 権　**エ** 剣　**オ** 軒）

3 類義語

1問2点　／10

後の［　］の中のひらがなを漢字に直して、**類義語**を作りなさい。［　］の中のひらがなは**1度だけ**使い、**漢字1字**を書きなさい。

① 身長－背□

② 巨木－大□

③ 変更－□定

④ 想像－□量

⑤ 回想－追□

［おく・かい・じゅ・すい・たけ］

③ 定科から割引して商品を売る。（　）［　］

④ 知人の急な告白に討惑する。（　）［　］

⑤ 受注した仕事の納機を死守する。（　）［　］

⑥ 筋肉に適度な不荷をかける。（　）［　］

⑦ 多額の借金を返裁し安心する。（　）［　］

⑧ 労成した職人が技を伝達する。（　）［　］

6 書き取り

1問2点　／16

次の――線の**カタカナ**を**漢字**に直しなさい。

① 仕事の**タントウ**が変わる。（　）

② 九十歳の**コウレイ**になる。（　）

③ 幼虫が**ダッピ**する。（　）

④ 祖母は百歳で**エイミン**した。（　）

⑤ 一人で**ア**れた土地を耕す。（　）

⑥ **セマ**い道を進んでいく。（　）

⑦ 激しい運動をして**ツカ**れる。（　）

⑧ 何をするにも動作が**オソ**い。（　）

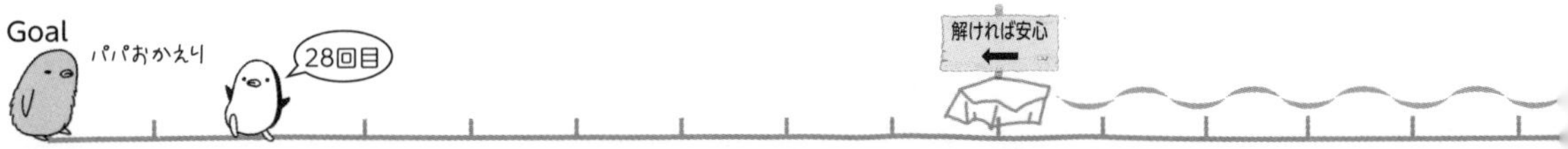
Goal
パパおかえり
28回目
解ければ安心

第29回 ミニテスト

解ければ安心！

目標 10 分

月　日

/86点

目標61点

解答：別冊P.17

1 読み

1問1点

次の――線の**漢字の読み**を**ひらがな**で書きなさい。

① ホタルが**乱舞**する。（　　）
② **樹脂**でコーティングする。（　　）
③ **突堤**でつりをする。（　　）
④ 大きな台を**搬出**する。（　　）
⑤ **後援**会を結成する。（　　）
⑥ **欄干**にもたれかかる。（　　）
⑦ 北海道を**開拓**する。（　　）
⑧ **縁日**で屋台を出す。（　　）
⑨ 母は**黙**って外を見ている。（　　）
⑩ 集団が国境を**越**えた。（　　）

/10

4 送りがな

1問2点

次の――線の**カタカナ**を**漢字1字**と**送りがな（ひらがな）**に直しなさい。

① **アマイ**クッキーを口にする。（　　）
② 口にジュースを**フクム**。（　　）
③ とある事実に**オドロク**。（　　）
④ **ナヤミ**を打ち明ける。（　　）
⑤ ありがたく**イタダク**。（　　）
⑥ 体を**ソラシ**てよける。（　　）
⑦ 考えが**オヨバ**ない。（　　）
⑧ 遊んで服が**ヨゴレル**。（　　）
⑨ 説明に時間を**サク**。（　　）
⑩ 大きなドアが**ハズレル**。（　　）

/20

5 四字熟語

1問2点

次の**四字熟語**の――線の**カタカナ**を**漢字**に直し、**2字**を書きなさい。

① 臣下が妙計**キ**策を提案した。（　　）
② どの人物も大同小**イ**だ。（　　）
③ 愛別**リ**苦の悲しみを味わう。（　　）

/20

Start
とてもよく出る ←
よく出る ←

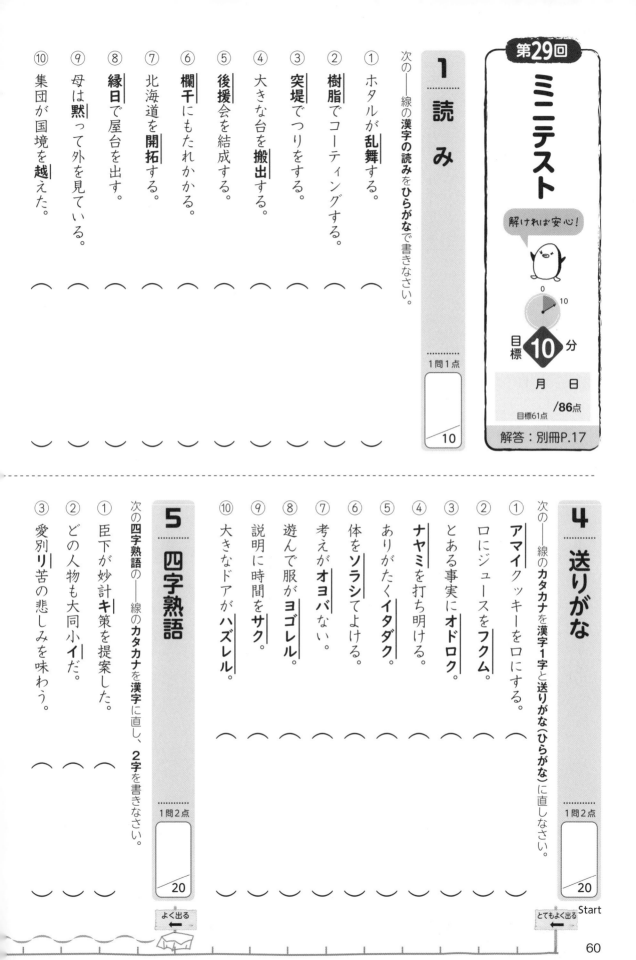

2 漢字識別

次の3つの□に**共通する漢字**を入れて熟語を作りなさい。漢字は[　]から**1つ**選び、**記号**で答えなさい。

1問2点　/10

① □丸・□道・□力　（　）
② □敗・□食・□心　（　）
③ □勢・□性・□等　（　）
④ 打□・□産・□立　（　）
⑤ □楽・優□・風□　（　）

ア 音	イ 腐	ウ 劣	エ 倒	オ 惨
カ 弾	キ 花	ク 紫	ケ 点	コ 雅

3 対義語

後の[　]の中のひらがなを漢字に直して、**対義語**を作りなさい。[　]の中のひらがなは**1度だけ**使い、**漢字1字**を書きなさい。

1問2点　/10

① 故意—□失
② 是認—□認
③ 進撃—退□
④ 単純—□雑
⑤ 決定—保□

か・きゃく・ひ・ふく・りゅう

---

④ 公序良**ゾク**に合った行いをする。（　）
⑤ 人**セキ**未踏の森に入った。（　）
⑥ 流言飛**ゴ**を真に受けない。（　）
⑦ 式で**イ**風堂々としている。（　）
⑧ 本計画は衆口一**チ**で決まった。（　）
⑨ リングの上では**トウ**志満々だ。（　）
⑩ 発表したら集中**ホウ**火を浴びた。（　）

6 書き取り

次の——線の**カタカナ**を**漢字**に直しなさい。

1問2点　/16

① 足の**キンニク**をきたえる。（　）
② 悪くない**カンショク**だ。（　）
③ 進入禁止の**クイキ**だ。（　）
④ 中性**センザイ**を用いる。（　）
⑤ 両親に**オク**り物をする。（　）
⑥ **スナハマ**を散歩した思い出。（　）
⑦ 子犬を**イッピキ**もらう。（　）
⑧ **ホ**った芋をいじる。（　）

第30回 ミニテスト

目標 10 分

月　日

/90点

目標63点

解答：別冊P.17

1 読み

1問1点　/10

次の——線の**漢字の読み**を**ひらがな**で書きなさい。

① 出窓から**連峰**を望む。（　　）
② **悲恋**の物語を読む。（　　）
③ 小説を**執筆**する。（　　）
④ 彼の**流儀**に反する。（　　）
⑤ ここには**気丈**な人が多い。（　　）
⑥ 作品が**称賛**される。（　　）
⑦ 食品に**香料**を使う。（　　）
⑧ ほうきの**柄**をつかむ。（　　）
⑨ 見事な**踊**りを見せる。（　　）
⑩ 息子の将来を**占**う。（　　）

4 熟語の構成

1問2点　/22

熟語の構成のしかたには次のようなものがあります。

- **ア** 同じような意味の漢字を重ねたもの　（例…**岩石**）
- **イ** 反対または対応の意味を表す字を重ねたもの　（例…**高低**）
- **ウ** 上の字が下の字を修飾しているもの　（例…**洋画**）
- **エ** 下の字が上の字の目的語・補語になっているもの　（例…**着席**）
- **オ** 上の字が下の字の意味を打ち消しているもの　（例…**非常**）

①〜⑪の**熟語**は、右の**ア**〜**オ**のどれにあたるか、**1つ**選び、**記号**で答えなさい。

① 寝台（　　）
② 需給（　　）
③ 違約（　　）
④ 調髪（　　）
⑤ 腐敗（　　）
⑥ 捕球（　　）
⑦ 巨体（　　）
⑧ 巡回（　　）
⑨ 未完（　　）
⑩ 斜面（　　）
⑪ 冒険（　　）

5 四字熟語

1問2点　/20

次の**四字熟語**の——線の**カタカナ**を**漢字**に直し、**2字**を書きなさい。

① 舌先三**ズン**の人だと言われる。（　　）
② 一網**ダ**尽の方法を発明する。（　　）
③ 容姿**タン**麗な女性と会う。（　　）

Start　とてもよく出る　よく出る

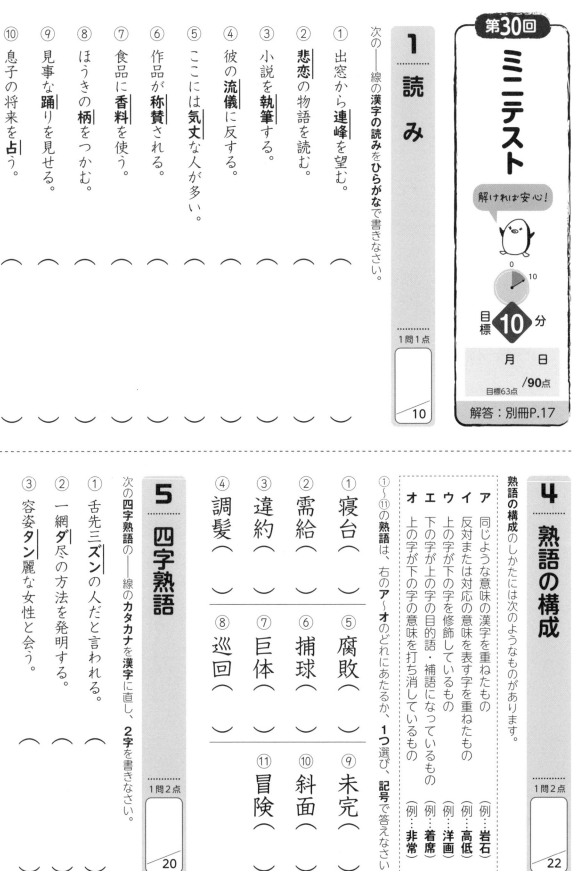

2 同音・同訓異字

1問2点　／12

次の——線の**カタカナ**にあてはまる漢字をそれぞれの**ア**～**オ**から**1つ**選び、**記号**で答えなさい。

① 余**カ**を楽しく過ごす。（　）
② お**カ**子を持って行く。（　）
③ **カ**値のわかる人だ。（　）
（**ア** 課　**イ** 暇　**ウ** 過　**エ** 菓　**オ** 価）

④ 出口に**トウ**達する。（　）
⑤ 会社が**トウ**産する。（　）
⑥ **トウ**犬を育てる。（　）
（**ア** 闘　**イ** 等　**ウ** 倒　**エ** 到　**オ** 討）

3 類義語

1問2点　／10

後の□の中のひらがなを漢字に直して、**類義語**を作りなさい。□の中のひらがなは**1度だけ**使い、**漢字1字**を書きなさい。

① 留守－不□
② 手柄－□績
③ 冒頭－□初
④ 円熟－□成
⑤ 搬送－運□

こう・さい・ざい・ゆ・ろう

④ 自給自**ソク**にあこがれる。（　）
⑤ 一触**ソク**発の状態にある。（　）
⑥ 真実一**ロ**の行動が共感を呼んだ。（　）
⑦ 全員が**キョウ**喜乱舞した。（　）
⑧ 彼はとても無味**カン**燥な人だ。（　）
⑨ 沈思**モッ**考が最善の行動だ。（　）
⑩ いくら話をしても馬耳**トウ**風だ。（　）

6 書き取り

1問2点　／16

次の——線の**カタカナ**を**漢字**に直しなさい。

① ゲームに**ムチュウ**になる。（　）
② 広告の**コウカ**が出る。（　）
③ **キョウレツ**な技をくり出す。（　）
④ 仲間の**セイエン**を受ける。（　）
⑤ 感動して**ナミダ**が出る。（　）
⑥ 旅先の灯台を**エガ**く。（　）
⑦ **ハナスジ**の通った顔だ。（　）
⑧ **オニ**のような形相だ。（　）

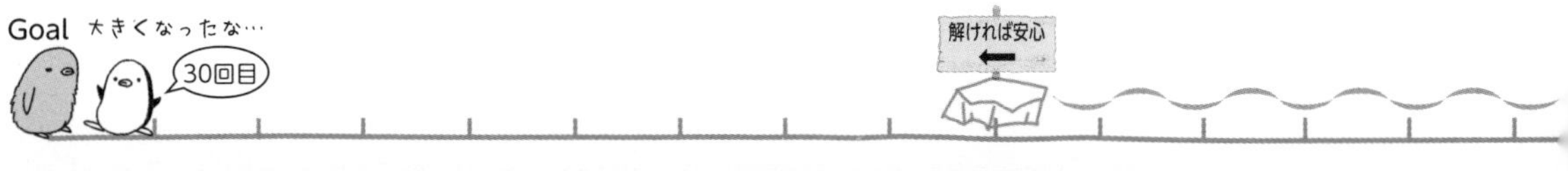
Goal
大きくなったな…
30回目
解ければ安心

勉強の「やる気」を出すコツ

毎日忙しいなかで、資格の勉強をするのは大変だし、やる気が出ないこともありますよね。でも、せっかく受けるのなら合格しないとお金も時間ももったいない！　そこで、勉強のやる気アップのコツをお伝えします。

❶ 周りの人を巻き込んで、味方をたくさんつくる！

試験で大事なのは、1人きりで勉強しないこと。どんなに意志の強い人でも、1人きりで頑張り続けるのはとても難しいことです。たくさんの人に目標を話して、仲間や応援してくれる人を見つけましょう。

やってみよう

- □「一緒に受けよう！」と友達をさそってみる
- □ SNSや勉強アプリなどを使って、同じ試験を受ける仲間を見つける
- □ リビングやトイレに「4級合格！」と書いた紙を貼って、家族に応援してもらう

❷ 勉強したら、すぐに誰かにシェアする

資格勉強で難しいのは、結果がすぐに見えないこと。今の努力の成果が見えるのが、1か月、2か月先、と言われるとつらいですよね。そこで、やる気を出すために自分で「ごほうび」をつくりましょう。おすすめは、勉強したら誰かにシェアすること。みんなの反応をごほうびにするとやる気が出ます。

やってみよう

- □ 勉強を始めたとき、終わったときにSNSに投稿
  （「勉強する」と宣言した手前、しばらくは携帯をいじりにくくなる効果も）
- □ ミニテストの結果や、まちがえた問題をクイズにして投稿する
- □ 同じ試験を目指す仲間と、問題を出し合ってみる

❸ すぐにやる。悩む時間をゼロにする！

勉強は「始めるまで」がつらいですよね。部屋の汚れや携帯がつい気になってしまう人も多いのではないでしょうか。スムーズに始めるコツはただ一つ「とりあえずすぐやる」こと。「まず○○をやってから…」という準備はやめましょう。まずは眺めるだけ、5問解くだけでもOK。週に1度、整った環境で2時間勉強するより、毎日10分勉強するほうが力がつきます。

また、10秒悩んで解けない問題は、答えを見てしまいましょう。同じ時間を使うなら、覚えてない漢字に悩むより、答えを見ながら書いて覚えるほうが効率的です。

やってみよう

- □ 朝、机の上に問題集を開いておいて、帰ってきたらすぐに解く
- □ ミニテストの問題を携帯で写真にとっておいて、空いた時間に眺める
- □ 10秒思い浮かばなかったら、さっさと答えを見る

第2章

総仕上げ 模擬テスト

模擬テストの使い方

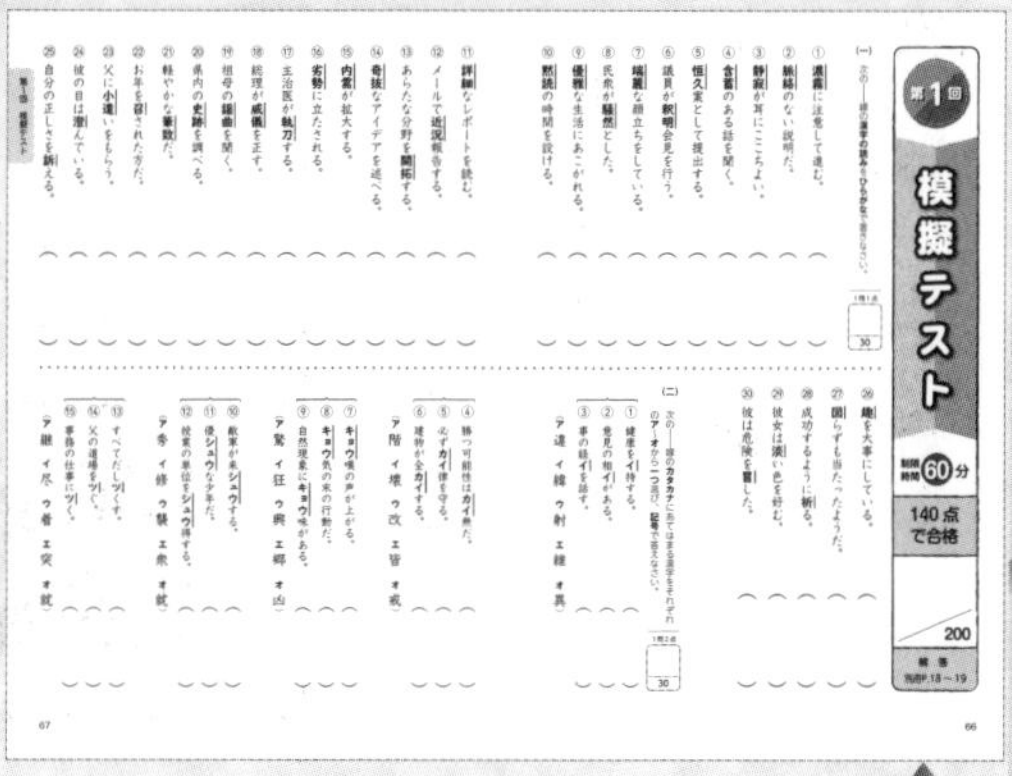

本試験型の模擬テスト

実際の試験と同じ形式の模擬テスト。

試験に慣れるつもりで、制限時間60分を計ってチャレンジしましょう。時間配分を考えて、見直しの時間をしっかり取るのがポイント。

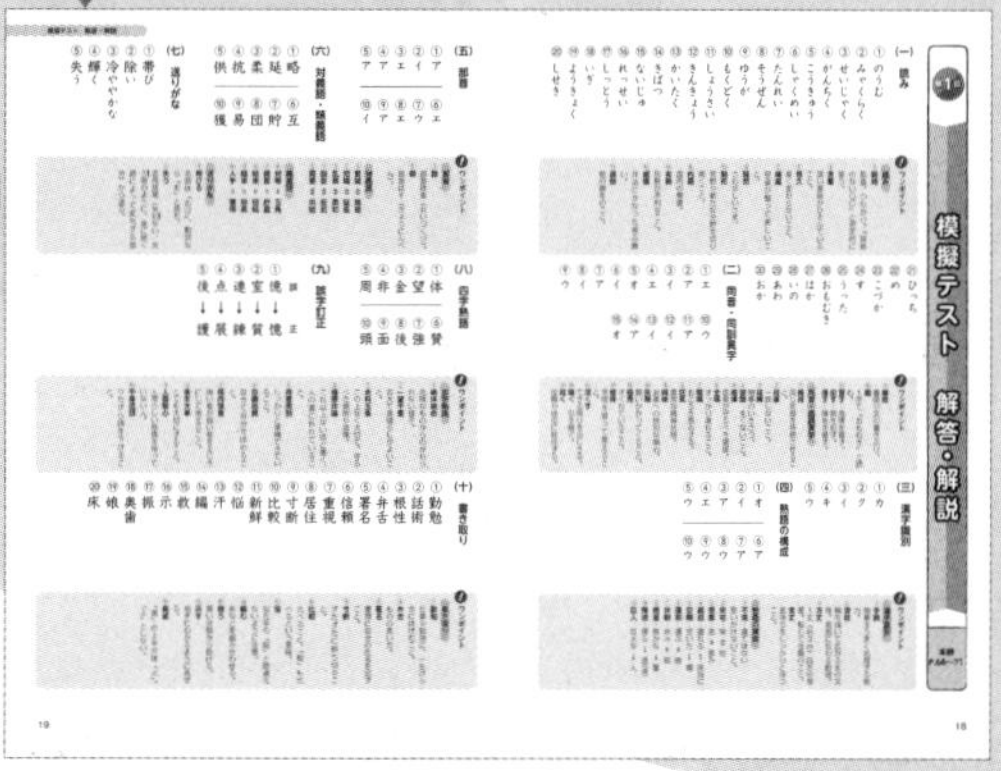

別冊解答で答え合わせ

合格ラインの70%（140点）に届いたか、チェック。届かなかった人は、弱点分野や時間配分を見直しましょう。プラス1点に役立つ解説つき。

第1回 模擬テスト

制限時間 60分

140点で合格

/200

解答 別冊P.18～19

（一） 次の――線の**漢字の読み**を**ひらがな**で書きなさい。

1問1点 /30

① **濃霧**に注意して進む。（　）
② **脈絡**のない説明だ。（　）
③ **静寂**が耳にここちよい。（　）
④ **含蓄**のあるはなしを聞く。（　）
⑤ **恒久**案として提出する。（　）
⑥ 議員が**釈明**会見を行う。（　）
⑦ **端麗**な顔立ちをしている。（　）
⑧ 民衆が**騒然**とした。（　）
⑨ **優雅**な生活にあこがれる。（　）
⑩ **黙読**の時間を設ける。（　）

㉖ **趣**を大事にしている。（　）
㉗ **図**らずも当たったようだ。（　）
㉘ 成功するように**祈**る。（　）
㉙ 彼女は**淡**い色を好む。（　）
㉚ 彼は危険を**冒**した。（　）

（二） 次の――線の**カタカナ**にあてはまる漢字をそれぞれの**ア～オ**から**一つ**選び、**記号**で答えなさい。

1問2点 /30

① 健康を**イ**持する。（　）
② 意見の相**イ**がある。（　）
③ 事の経**イ**を伝える。（　）

（**ア** 違　**イ** 緯　**ウ** 射　**エ** 維　**オ** 異）

⑪ **詳細**なレポートを読む。（　　）
⑫ メールで**近況**報告する。（　　）
⑬ あらたな分野を**開拓**する。（　　）
⑭ **奇抜**なアイデアを述べる。（　　）
⑮ **内需**が拡大する。（　　）
⑯ **劣勢**に立たされる。（　　）
⑰ 主治医が**執刀**する。（　　）
⑱ 総理が**威儀**を正す。（　　）
⑲ 祖母の**謡曲**を聞く。（　　）
⑳ 県内の**史跡**を調べる。（　　）
㉑ 軽やかな**筆致**だ。（　　）
㉒ お年を**召**された方だ。（　　）
㉓ 父に**小遣**いをもらう。（　　）
㉔ 彼の目は**澄**んでいる。（　　）
㉕ 自分の正しさを**訴**える。（　　）

④ 勝つ確率は**カイ**無だ。（　　）
⑤ 必ず**カイ**律を守る。（　　）
⑥ 建物が全**カイ**する。（　　）
（**ア** 階　**イ** 壊　**ウ** 改　**エ** 皆　**オ** 戒）

⑦ **キョウ**嘆の声が上がる。（　　）
⑧ **キョウ**気の末の行動だ。（　　）
⑨ 自然現象に**キョウ**味がある。（　　）
（**ア** 驚　**イ** 狂　**ウ** 興　**エ** 郷　**オ** 凶）

⑩ 敵軍が来**シュウ**する。（　　）
⑪ 優**シュウ**な少年だ。（　　）
⑫ 授業の単位を**シュウ**得する。（　　）
（**ア** 秀　**イ** 修　**ウ** 襲　**エ** 衆　**オ** 就）

⑬ すべてだし**ツ**くす。（　　）
⑭ 父の道場を**ツ**ぐ。（　　）
⑮ 事務の仕事に**ツ**く。（　　）
（**ア** 継　**イ** 尽　**ウ** 着　**エ** 突　**オ** 就）

(三)

①〜⑤の三つの□に**共通する漢字**を入れて熟語を作りなさい。漢字は**ア〜コ**から**一つ**選び、**記号**で答えなさい。

1問2点 / 10

① □力・手□・鉄□ （　　）
② □様・波□・指□ （　　）
③ 岩□・吸□・円□ （　　）
④ □夫・方□・気□ （　　）
⑤ □鳴・地□・魚□ （　　）

ア 模　**イ** 盤　**ウ** 雷　**エ** 迫　**オ** 石
カ 腕　**キ** 丈　**ク** 紋　**ケ** 農　**コ** 悲

(五)

次の漢字の**部首**を**ア〜エ**から**一つ**選び、**記号**で答えなさい。

1問1点 / 10

① 畳（ア 田　イ 冖　ウ 日　エ 一）（　　）
② 競（ア 亠　イ 立　ウ 口　エ 儿）（　　）
③ 隷（ア 士　イ 示　ウ 亅　エ 隶）（　　）
④ 翌（ア 羽　イ 一　ウ 亠　エ 立）（　　）
⑤ 御（ア 彳　イ ノ　ウ 止　エ 卩）（　　）
⑥ 誉（ア ⺍　イ 一　ウ 八　エ 言）（　　）
⑦ 載（ア 土　イ ノ　ウ 車　エ 戈）（　　）
⑧ 響（ア 幺　イ 艮　ウ 阝　エ 音）（　　）
⑨ 陣（ア 阝　イ 一　ウ 田　エ 車）（　　）
⑩ 痛（ア 广　イ 疒　ウ 冂　エ 用）（　　）

(四) **熟語の構成**のしかたには次のようなものがあります。

1問2点 /20

ア 同じような意味の漢字を重ねたもの。(岩石)
イ 反対または対応の意味を表す字を重ねたもの。(高低)
ウ 上の字が下の字を修飾しているもの。(洋画)
エ 下の字が上の字の目的語・補語になっているもの。(着席)
オ 上の字が下の字の意味を打ち消しているもの。(非常)

次の熟語は、右の**ア**～**オ**のどれにあたるか**一つ**選び、**記号**で答えなさい。

① 不慮（　）
② 栄枯（　）
③ 恩恵（　）
④ 遅刻（　）
⑤ 空欄（　）
⑥ 運搬（　）
⑦ 休暇（　）
⑧ 微量（　）
⑨ 帰途（　）
⑩ 巨人（　）

(六) 後の□の中のひらがなを漢字に直して□に入れ、**対義語・類義語**を作りなさい。□の中のひらがなは**一度だけ**使い、**漢字一字**を書きなさい。

1問2点 /20

対義語

① 繁雑―簡□
② 短縮―□長
③ 乱暴―□和
④ 服従―反□
⑤ 需要―□給

類義語

⑥ 対等―□角
⑦ 備蓄―□蔵
⑧ 結束―□結
⑨ 簡単―容□
⑩ 入手―□得

い・えん・かく・きょう・ご・こう・だん・ちょ・にゅう・りゃく

(七) 次の――線のカタカナを漢字一字と送りがな(ひらがな)に直しなさい。

1問2点 /10

〈例〉 **カナラズ**合格する。(必ず)

① 刀を**オビ**た武士がいる。( )

② 小数点を**ノゾイ**て計算する。( )

③ **ヒヤヤカナ**態度をとられた。( )

④ **カガヤク**未来に期待する。( )

⑤ 先を歩く人を見**ウシナウ**。( )

(八) 文中の四字熟語の――線のカタカナを漢字に直し、一字だけ書きなさい。

1問2点 /20

① 絶**タイ**絶命の状況を切り開く。( )

② 一**ボウ**千里の景色をとる。( )

③ **キン**科玉条としている本がある。( )

④ 極悪**ヒ**道の行いを見過ごさない。( )

⑤ 用意**シュウ**到な進め方をする。( )

(十) 次の――線のカタカナを漢字に直しなさい。

1問2点 /40

① 父は昔から**キンベン**だ。( )

② 彼女の**ワジュツ**にだまされた。( )

③ 彼は**コンジョウ**がある。( )

④ **ベンゼツ**さわやかな方だ。( )

⑤ 駅前で**ショメイ**を集める。( )

⑥ 二人は**シンライ**関係にある。( )

⑦ 能力**ジュウシ**で採用する。( )

⑧ 都心に**キョジュウ**する。( )

⑨ 道路が**スンダン**された。( )

⑥ 友人が自画自**サン**していた。（　　）
⑦ 弱肉**キョウ**食の政界を生き抜く。（　　）
⑧ 私は**ゴ**生大事に育てられた。（　　）
⑨ 人**メン**獣心の人物だと評価する。（　　）
⑩ 責任者が平身低**トウ**して謝った。（　　）

（九）

次の各文にまちがって使われている**同じ読みの漢字が一字**あります。**上に誤字**を、**下に正しい漢字**を書きなさい。

1問2点　／10

誤　正

① 事件の真相についての億測が数日前から流布している。（　　）［　　］
② 生来の資室を有効に活用して社会で活躍する。（　　）［　　］
③ 熟連の機関士によって整備された列車が安全運行する。（　　）［　　］
④ 著名で前衛的な作家を集めた点覧会を国内で開くか検討する。（　　）［　　］
⑤ 迷子になり、警官がさがしていた幼児が無事に保後された。（　　）［　　］

⑩ どちらがいいか**ヒカク**する。（　　）
⑪ この野菜は**シンセン**だ。（　　）
⑫ 自分の**ナヤ**みを打ち明ける。（　　）
⑬ **アセ**だくで仕事をする。（　　）
⑭ 現代短歌の歌集を**ア**む。（　　）
⑮ 国を**スク**った勇者だ。（　　）
⑯ 進むべき方向を指し**シメ**す。（　　）
⑰ 別れ際に手を**フ**る。（　　）
⑱ **オクバ**に何かはさまる。（　　）
⑲ 美しい**ムスメ**が街を歩く。（　　）
⑳ **ユカ**をきれいにする。（　　）

第2回 模擬テスト

制限時間 60分

140点で合格

/200

解答 別冊P.20～21

（一）次の――線の**漢字の読み**を**ひらがな**で書きなさい。

1問1点 /30

① **隠居**した人物を訪ねる。（　　）
② 会場に**救援**物資が届く。（　　）
③ どういった**需要**があるか調べる。（　　）
④ **別途**見積もりする。（　　）
⑤ 祖父の**遺稿**が見つかる。（　　）
⑥ 社長を**輩出**する町だ。（　　）
⑦ 彼の思いを**考慮**する。（　　）
⑧ 二人の実力は**互角**だ。（　　）
⑨ **頭髪**検査が行われる。（　　）
⑩ **煙突**のある家を探す。（　　）

㉖ しっぽを巻いて**逃**げる。（　　）
㉗ **翼**を広げて飛ぶ。（　　）
㉘ **沢**で小休止する。（　　）
㉙ 不明点を**尋**ねる。（　　）
㉚ カバンを**提**げて歩く。（　　）

（二）次の――線の**カタカナ**にあてはまる漢字をそれぞれのア～オから**一つ**選び、**記号**で答えなさい。

1問2点 /30

① 車を後ろから**オ**す。（　　）
② **オ**して知るべしだ。（　　）
③ 課長が責任を**オ**う。（　　）

（**ア** 追　**イ** 負　**ウ** 推　**エ** 押　**オ** 折）

⑪ **違約**金を支はらった。（　　）
⑫ **製菓**コーナーを見る。（　　）
⑬ 人がいた**形跡**がある森。（　　）
⑭ 本の**監修**をする。（　　）
⑮ 政治が**腐敗**した国だ。（　　）
⑯ **丹念**な仕事ぶりだ。（　　）
⑰ **彼岸**花をスケッチする。（　　）
⑱ **遅延**証明書を出す。（　　）
⑲ 地方**巡業**を見に行く。（　　）
⑳ 祖父の**追憶**を聞く。（　　）
㉑ のどかな村が**襲**われた。（　　）
㉒ **誇**らしげな表情だ。（　　）
㉓ **橋渡**しの役目をこなす。（　　）
㉔ **西暦**で表記する。（　　）
㉕ 来客用の布団を**敷**く。（　　）

④ **ショウ**細は不明だ。（　　）
⑤ 五時に起**ショウ**する。（　　）
⑥ 両親に**ショウ**介する。（　　）
（**ア** 詳 **イ** 賞 **ウ** 紹 **エ** 将 **オ** 床）

⑦ 壁の向こう側を**トウ**視する。（　　）
⑧ **トウ**難に気をつける。（　　）
⑨ **トウ**突なよび出しだ。（　　）
（**ア** 当 **イ** 唐 **ウ** 透 **エ** 盗 **オ** 討）

⑩ 大きな箱を**ハン**出する。（　　）
⑪ ケーキを**ハン**売する。（　　）
⑫ 明日、**ハン**決が出る。（　　）
（**ア** 搬 **イ** 販 **ウ** 判 **エ** 反 **オ** 般）

⑬ **フ**段着で過ごす。（　　）
⑭ 空中を**フ**遊する。（　　）
⑮ 税金を**フ**課する。（　　）
（**ア** 賦 **イ** 府 **ウ** 普 **エ** 浮 **オ** 婦）

(三)

①〜⑤の三つの□に**共通する漢字**を入れて熟語を作りなさい。漢字は**ア〜コ**から**一つ**選び、**記号**で答えなさい。

1問2点 ／10

① □故・□者・□起 （　　）

② □曲・遊□・□言 （　　）

③ □式・礼□・流□ （　　）

④ □手・□子・□車 （　　）

⑤ 機□・過□・□感 （　　）

ア 事	**イ** 戯	**ウ** 縁	**エ** 能	**オ** 敏
カ 拍	**キ** 著	**ク** 儀	**ケ** 格	**コ** 荷

(五)

次の漢字の**部首**を**ア〜エ**から**一つ**選び、**記号**で答えなさい。

1問1点 ／10

① 委 （**ア** ノ　**イ** 木　**ウ** 禾　**エ** 女） （　　）

② 壱 （**ア** 士　**イ** 冖　**ウ** ノ　**エ** 匕） （　　）

③ 是 （**ア** 日　**イ** 一　**ウ** ノ　**エ** 𤴔） （　　）

④ 秀 （**ア** ノ　**イ** 木　**ウ** 禾　**エ** 亅） （　　）

⑤ 堅 （**ア** 匚　**イ** 臣　**ウ** 又　**エ** 土） （　　）

⑥ 影 （**ア** 日　**イ** 亠　**ウ** 小　**エ** 彡） （　　）

⑦ 威 （**ア** 厂　**イ** 女　**ウ** ノ　**エ** 戈） （　　）

⑧ 雄 （**ア** 一　**イ** ノ　**ウ** 厶　**エ** 隹） （　　）

⑨ 避 （**ア** 辶　**イ** 尸　**ウ** 口　**エ** 辛） （　　）

⑩ 覧 （**ア** 匚　**イ** 臣　**ウ** 見　**エ** 儿） （　　）

(四) 1問2点 /20

熟語の構成のしかたには次のようなものがあります。

ア 同じような意味の漢字を重ねたもの。 **(岩石)**
イ 反対または対応の意味を表す字を重ねたもの。 **(高低)**
ウ 上の字が下の字を修飾しているもの。 **(洋画)**
エ 下の字が上の字の目的語・補語になっているもの。 **(着席)**
オ 上の字が下の字の意味を打ち消しているもの。 **(非常)**

次の熟語は、右の**ア**〜**オ**のどれにあたるか**一つ**選び、**記号**で答えなさい。

① 壁画（　　）
② 歌謡（　　）
③ 送迎（　　）
④ 遠征（　　）
⑤ 未婚（　　）

⑥ 加減（　　）
⑦ 執刀（　　）
⑧ 瞬間（　　）
⑨ 離合（　　）
⑩ 首尾（　　）

(六) 1問2点 /20

後の［　］の中のひらがなを漢字に直して□に入れ、**対義語**・**類義語**を作りなさい。［　］の中のひらがなは**一度だけ**使い、**漢字一字**を書きなさい。

対義語

① 定期―□時
② 家来―□君
③ 破壊―建□
④ 歓喜―悲□
⑤ 徴収―□入

類義語

⑥ 長者―富□
⑦ 本気―真□
⑧ 使命―責□
⑨ 大樹―□木
⑩ 皮肉―風□

［きょ・けん・ごう・し・しゅ・せつ・たん・のう・む・りん］

(七) 次の——線のカタカナを**漢字一字と送りがな（ひらがな）**に直しなさい。

1問2点 ／10

〈例〉**カナラズ**合格する。（必ず）

① 十分に役目を**ハタス**。（　　）
② お**イワイ**金を受け取った。（　　）
③ 感情**ユタカナ**人だ。（　　）
④ ノートを家に**ワスレル**。（　　）
⑤ 友人に**カリ**を返した。（　　）

(八) 文中の**四字熟語**の——線の**カタカナ**を**漢字**に直し、**一字だけ**書きなさい。

1問2点 ／20

① 空前**ゼツ**後の事件が起こる。（　　）
② **キョウ**味本位で問い合わせる。（　　）
③ 理**ロ**整然とした考えを持っている。（　　）
④ プロジェクトが雲散**ム**消した。（　　）
⑤ 創意工**フウ**するために苦しむ。（　　）

(十) 次の——線の**カタカナ**を**漢字**に直しなさい。

1問2点 ／40

① ウイルスが**ゾウショク**する。（　　）
② **ケイダイ**で遊んではいけない。（　　）
③ **ケンゲン**をゆだねられる。（　　）
④ データを**アッシュク**した。（　　）
⑤ 問題を**ホウチ**したままだ。（　　）
⑥ 計り知れない**ソンシツ**だ。（　　）
⑦ 家の**センメン**所に入る。（　　）
⑧ **コキュウ**を整える。（　　）
⑨ 電話を**ホリュウ**にする。（　　）

⑥ 多事多**タン**の時代に生きた。（　　）
⑦ 付和**ライ**同の自分を反省する。（　　）
⑧ **ギョク**石混交の組織を変える。（　　）
⑨ この成績は課長の率先垂**ハン**のおかげだ。（　　）
⑩ **アク**逆無道の人物がやってくる。（　　）

（九）次の各文にまちがって使われている**同じ読みの漢字**が**一字**あります。**上に誤字**を、**下に正しい漢字**を書きなさい。

1問2点　／10

	誤	正
① 大会に参加した選手の中でも、屈師の実力者と名高い。	（　）	〔　〕
② 知己には、毎日未明に沿岸を走る習間がある。	（　）	〔　〕
③ 確固たる真念をもって努力するように意識する。	（　）	〔　〕
④ 絶大な人望を集める役員によって会社の方申が決定された。	（　）	〔　〕
⑤ 暴犯対策が万全の家屋から宝石類がぬすまれた。	（　）	〔　〕

⑩ **ヘイボン**な生活を送る。（　　）
⑪ 荷物運びを**タノ**む。（　　）
⑫ 体が熱を**オ**びている。（　　）
⑬ 母の**ヤサ**しさがありがたい。（　　）
⑭ 彼女は生来、**ヨクバ**りだ。（　　）
⑮ **モット**も高い山に登る。（　　）
⑯ 旅の**ハジ**はかき捨てだ。（　　）
⑰ **ウツワ**の大きい人だ。（　　）
⑱ **アシブ**みしてくやしがる。（　　）
⑲ **キワ**めた者の風格がある。（　　）
⑳ **クダ**に水を流した。（　　）

第3回 模擬テスト

制限時間 60分

140点で合格

/200

解答 別冊P.22～23

(一) 次の——線の**漢字の読み**を**ひらがな**で書きなさい。

1問1点 /30

① 警官が容疑者を**尋問**する。（　）
② **柔和**な表情の老人だ。（　）
③ 社会通念として**浸透**する。（　）
④ 映画をみて**感涙**にむせぶ。（　）
⑤ **作為**のあとがみられる。（　）
⑥ ある**戯曲**に感動する。（　）
⑦ **機敏**な対応をほめる。（　）
⑧ **跳躍**力がすさまじい。（　）
⑨ **寸暇**をおしんで修行する。（　）
⑩ 道路の**舗装**中だ。（　）

㉖ 自分に**尽**くしてくれる犬。（　）
㉗ 思わず**戒**めを破った。（　）
㉘ 彼を代表者として**推**す。（　）
㉙ 苦しい状況に**耐**えられる。（　）
㉚ **濁**ったお酒を飲む。（　）

(二) 次の——線の**カタカナ**にあてはまる漢字をそれぞれの**ア～オ**から**一つ**選び、**記号**で答えなさい。

1問2点 /30

① 冷静に要**シ**を述べる。（　）
② 犬の**シ**雄を見分ける。（　）
③ **シ**外線を防ぐ。（　）

（**ア** 旨　**イ** 雌　**ウ** 紫　**エ** 師　**オ** 視）

⑪ 静かに**療養**している。（　　）
⑫ 経済が**低迷**している。（　　）
⑬ **行儀**のいい少年だ。（　　）
⑭ 仕方なく**退却**する。（　　）
⑮ **草稿**は人に見せない。（　　）
⑯ **関与**した疑いがもたれる。（　　）
⑰ **皮膚**のケアを心がける。（　　）
⑱ **干拓**地を一望できる。（　　）
⑲ 他人に**迎合**する。（　　）
⑳ 決めた方針を**堅持**する。（　　）
㉑ 感覚の**鈍**い人だ。（　　）
㉒ **嘆**いても始まらない。（　　）
㉓ 目利きの**誉**れが高い。（　　）
㉔ **矛先**がこちらに向いた。（　　）
㉕ **鋭**い目つきをしている。（　　）

④ しばらく遠**セイ**する。（　　）
⑤ **セイ**大な飲み会だ。（　　）
⑥ **セイ**密な機械がある。（　　）
（ア 勢　イ 精　ウ 征　エ 盛　オ 聖）

⑦ 思いが合**チ**する。（　　）
⑧ **チ**配により荷物が届かない。（　　）
⑨ 自分の位**チ**を決める。（　　）
（ア 値　イ 致　ウ 遅　エ 治　オ 置）

⑩ 牛がしっぽを**フ**る。（　　）
⑪ 地面を強く**フ**む。（　　）
⑫ 葉の先に**フ**れる。（　　）
（ア 降　イ 踏　ウ 触　エ 吹　オ 振）

⑬ 地域の民**ヨウ**を歌う。（　　）
⑭ 必**ヨウ**なことだけ言う。（　　）
⑮ 舞**ヨウ**を得意とする。（　　）
（ア 要　イ 踊　ウ 様　エ 謡　オ 養）

(三)

①～⑤の三つの□に**共通する漢字**を入れて熟語を作りなさい。漢字は**ア～コ**から**一つ**選び、**記号**で答えなさい。

1問2点 ／10

① □技・絶□・□案 （　　）

② 結□・夜□・□出 （　　）

③ □色・水□・油□ （　　）

④ □丸・□道・□薬 （　　）

⑤ □行・固□・□刀 （　　）

ア 弾　**イ** 執　**ウ** 空　**エ** 赤　**オ** 輪
カ 晶　**キ** 妙　**ク** 露　**ケ** 彩　**コ** 早

(五)

次の漢字の**部首**を**ア～エ**から**一つ**選び、**記号**で答えなさい。

1問1点 ／10

① 街 （**ア** 彳　**イ** 土　**ウ** 亅　**エ** 行） （　　）

② 驚 （**ア** 艹　**イ** 攵　**ウ** 馬　**エ** 灬） （　　）

③ 菓 （**ア** 艹　**イ** 田　**ウ** 一　**エ** 木） （　　）

④ 曇 （**ア** 日　**イ** 雨　**ウ** 二　**エ** ム） （　　）

⑤ 裏 （**ア** 亠　**イ** 里　**ウ** 一　**エ** 衣） （　　）

⑥ 盾 （**ア** ノ　**イ** 厂　**ウ** 十　**エ** 目） （　　）

⑦ 趣 （**ア** 土　**イ** 走　**ウ** 耳　**エ** 又） （　　）

⑧ 煮 （**ア** 土　**イ** ノ　**ウ** 日　**エ** 灬） （　　）

⑨ 幅 （**ア** 巾　**イ** 一　**ウ** ロ　**エ** 田） （　　）

⑩ 噴 （**ア** 口　**イ** 十　**ウ** 貝　**エ** ハ） （　　）

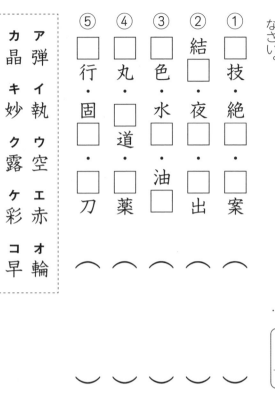

(四) **熟語の構成**のしかたには次のようなものがあります。

1問2点 20

ア 同じような意味の漢字を重ねたもの。 (**岩石**)
イ 反対または対応の意味を表す字を重ねたもの。 (**高低**)
ウ 上の字が下の字を修飾しているもの。 (**洋画**)
エ 下の字が上の字の目的語・補語になっているもの。 (**着席**)
オ 上の字が下の字の意味を打ち消しているもの。 (**非常**)

次の熟語は、右の**ア～オ**のどれにあたるか**一つ**選び、**記号**で答えなさい。

① 劣悪 (　)
② 巨大 (　)
③ 継続 (　)
④ 平凡 (　)
⑤ 賞罰 (　)
⑥ 珍奇 (　)
⑦ 離陸 (　)
⑧ 未到 (　)
⑨ 需給 (　)
⑩ 城壁 (　)

(六) 後の[　]の中のひらがなを漢字に直して□に入れ、**対義語・類義語**を作りなさい。[　]の中のひらがなは**一度だけ**使い、**漢字一字**を書きなさい。

1問2点 20

対義語

① 病弱―□夫
② 強固―□弱
③ 大要―□細
④ 回避―□面
⑤ 慎重―軽□

類義語

⑥ 縁者―親□
⑦ 思案―考□
⑧ 即刻―早□
⑨ 無視―□殺
⑩ 看病―□抱

かい・しょう・じょう・そく・そつ・ちょく・はく・もく・りょ・るい

(七) 次の——線のカタカナを漢字一字と送りがな（ひらがな）に直しなさい。

1問2点 10

〈例〉 **カナラズ**合格する。（必ず）

① 相手の**ウシロ**に回る。（　）
② 彼はだれにでも**ヤサシイ**。（　）
③ 熱によって板が**ソル**。（　）
④ **カクサレ**た財宝を発見する。（　）
⑤ **アラタナ**役割を命じられる。（　）

(八) 文中の**四字熟語**の——線の**カタカナ**を**漢字**に直し、**一字だけ**書きなさい。

1問2点 20

① **テキ**者生存の法則を知る。（　）
② この製法は**モン**外不出だ。（　）
③ 完全無**ケツ**な人格者を目指す。（　）
④ 青天**ハク**日である。（　）
⑤ 五**リ**霧中をさまよう。（　）

(十) 次の——線の**カタカナ**を**漢字**に直しなさい。

1問2点 40

① **ホウフ**な資金を活用する。（　）
② 絵画を**モシャ**する。（　）
③ **ヒガン**達成を目指す。（　）
④ 名字の**ユライ**を調べる。（　）
⑤ **カンキョウ**が人を育てる。（　）
⑥ タレントと**アクシュ**する。（　）
⑦ 機械の**コショウ**を直す。（　）
⑧ 家族の**セイエン**を受ける。（　）
⑨ ドイツと**ドウメイ**を結ぶ。（　）

⑥ **ダン**論風発の場は苦手だ。（　　）

⑦ この小説は起**ショウ**転結が不明確だ。（　　）

⑧ **メイ**鏡止水の心持ちだ。（　　）

⑨ 物情**ソウ**然とした光景が広がる。（　　）

⑩ 美**ジ**麗句を並べ立てる。（　　）

(九) 次の各文にまちがって使われている**同じ読みの漢字**が**一字**あります。**上に誤字**を、**下に正しい漢字**を書きなさい。

1問2点

/10

誤　正

① 民衆の暴動が革命へと発展して権利を獲得した。（　　）［　　］

② 子細な内容まで入念に険討した結果を伝達する。（　　）［　　］

③ 戦場で歩兵が配達した手紙は誤法の可能性がある。（　　）［　　］

④ 複数の節備に動作不良が発生して職員が混乱した。（　　）［　　］

⑤ 秘密にしていた特議をクラス全員の眼前で見せる。（　　）［　　］

⑩ 手紙の**ヒッセキ**を調べる。（　　）

⑪ 企業が**ソンシツ**をこうむる。（　　）

⑫ **テイド**を知らない人だ。（　　）

⑬ メンバーを**ミカギ**る。（　　）

⑭ **ネ**り物を口にする。（　　）

⑮ どうにも**コマ**り果てる。（　　）

⑯ 彼の**コノ**みを聞いた。（　　）

⑰ **アヤ**うく転ぶところだった。（　　）

⑱ **セオ**い投げで一本取る。（　　）

⑲ **ハカセ**が論文を書く。（　　）

⑳ ポットでお湯を**ソソ**ぐ。（　　）

第4回 模擬テスト

制限時間 60分

140点で合格

/200

解答 別冊P.24～25

(一) 次の――線の**漢字の読み**を**ひらがな**で書きなさい。

1問1点 /30

① 病人を**介抱**する。（　）

② 牧場で動物の**描写**をする。（　）

③ **凶作**で畑が荒れる。（　）

④ **遅配**しないように急ぐ。（　）

⑤ ここは**敏速**に動くべきだ。（　）

⑥ **軒先**で雨宿りする。（　）

⑦ 絵筆で**濃淡**をつける。（　）

⑧ 彼女の仕業に**相違**ない。（　）

⑨ 彼は**毒舌**だと聞いている。（　）

⑩ **玄米**は体にいいらしい。（　）

㉖ 思わず**脂汗**が出る。（　）

㉗ **替**え玉を注文する。（　）

㉘ 持ち物が**盗**まれる。（　）

㉙ 空を**仰**いでふるさとを思う。（　）

㉚ **度重**なる失態だ。（　）

(二) 次の――線の**カタカナ**にあてはまる漢字をそれぞれのア～オから**一つ**選び、**記号**で答えなさい。

1問2点 /30

① 伝えるべき事**コウ**がある。（　）

② 一人で**コウ**野に立つ。（　）

③ 小説を投**コウ**する。（　）

（ア 高　イ 荒　ウ 公　エ 項　オ 稿）

⑪ 上司に**詳報**をメールする。（　　）
⑫ 店内に**民謡**が流れる。（　　）
⑬ **丹精**こめて育てる。（　　）
⑭ **征服**欲が満たされる。（　　）
⑮ **首尾**よく物事が進む。（　　）
⑯ 事業を**継承**する。（　　）
⑰ **規範**となるよう心がける。（　　）
⑱ 新商品が**普及**する。（　　）
⑲ 対応に**苦慮**する場面だ。（　　）
⑳ 新しい考えかたに**傾**く。（　　）
㉑ **頼**まれたらことわれない。（　　）
㉒ 有名選手に話を**伺**う。（　　）
㉓ **更**に状況がよくなる。（　　）
㉔ ボールが地面で**弾**む。（　　）
㉕ 権利を**侵**してはいけない。（　　）

④ 敵地を**セン**拠する。（　　）
⑤ 民を**セン**動する。（　　）
⑥ 新**セン**な野菜を買う。（　　）
（ア 泉　イ 占　ウ 扇　エ 鮮　オ 宣）

⑦ 友人に付き**ソ**う。（　　）
⑧ 思いきり背中を**ソ**る。（　　）
⑨ 川に**ソ**って歩く。（　　）
（ア 染　イ 添　ウ 反　エ 初　オ 沿）

⑩ **ソウ**動が起きる。（　　）
⑪ 乾**ソウ**に強い種だ。（　　）
⑫ 寺で**ソウ**正に面会する。（　　）
（ア 層　イ 僧　ウ 騒　エ 燥　オ 早）

⑬ 熱**タイ**に生息する鳥。（　　）
⑭ **タイ**久力を試す。（　　）
⑮ 絶**タイ**に約束を守る。（　　）
（ア 対　イ 帯　ウ 態　エ 耐　オ 退）

(三)

①〜⑤の三つの□に**共通する漢字**を入れて熟語を作りなさい。漢字は**ア〜コ**から**一つ**選び、**記号**で答えなさい。

① □堂・□上・神□
② 権□・神□・□圧
③ 急□・逆□・空□
④ □楽・優□・典□
⑤ □下・起□・病□

（　）（　）（　）（　）（　）

ア 構　**イ** 上　**ウ** 襲　**エ** 雅　**オ** 苦
カ 地　**キ** 殿　**ク** 威　**ケ** 床　**コ** 落

1問2点

10

(五)

次の漢字の**部首**を**ア〜エ**から**一つ**選び、**記号**で答えなさい。

① 般　（**ア** 舟　**イ** 几　**ウ** 又　**エ** 殳）（　）
② 朱　（**ア** ノ　**イ** 二　**ウ** 丨　**エ** 木）（　）
③ 戯　（**ア** 丨　**イ** 虍　**ウ** 戈　**エ** 弋）（　）
④ 至　（**ア** 一　**イ** ム　**ウ** 至　**エ** 土）（　）
⑤ 壁　（**ア** 尸　**イ** ロ　**ウ** 辛　**エ** 土）（　）
⑥ 衛　（**ア** 彳　**イ** ロ　**ウ** 亅　**エ** 行）（　）
⑦ 圏　（**ア** 囗　**イ** 人　**ウ** 二　**エ** 己）（　）
⑧ 帽　（**ア** 冂　**イ** 巾　**ウ** 日　**エ** 目）（　）
⑨ 老　（**ア** 土　**イ** ノ　**ウ** 耂　**エ** 匕）（　）
⑩ 疑　（**ア** ノ　**イ** 匕　**ウ** 矢　**エ** 疋）（　）

1問1点

10

（四） **熟語の構成**のしかたには次のようなものがあります。

1問2点 /20

ア 同じような意味の漢字を重ねたもの。（岩石）
イ 反対または対応の意味を表す字を重ねたもの。（高低）
ウ 上の字が下の字を修飾しているもの。（洋画）
エ 下の字が上の字の目的語・補語になっているもの。（着席）
オ 上の字が下の字の意味を打ち消しているもの。（非常）

次の熟語は、右の**ア**～**オ**のどれにあたるか**一つ**選び、**記号**で答えなさい。

① 戦闘（　）
② 未納（　）
③ 優劣（　）
④ 着脱（　）
⑤ 握力（　）

⑥ 寝台（　）
⑦ 陰陽（　）
⑧ 抜歯（　）
⑨ 調髪（　）
⑩ 興亡（　）

（六） 後の［　］の中のひらがなを漢字に直して□に入れ、**対義語・類義語**を作りなさい。［　］の中のひらがなは**一度だけ**使い、**漢字一字**を書きなさい。

1問2点 /20

対義語

① 返却―□用
② 高雅―低□
③ 軽率―□重
④ 逃亡―追□
⑤ 乱暴―□和

類義語

⑥ 根拠―□由
⑦ 釈明―弁□
⑧ 名誉―□光
⑨ 丹念―□密
⑩ 不意―□然

えい・おん・かい・しゃく・しん・せき・ぞく・とつ・めん・り

（七）次の――線のカタカナを**漢字一字と送りがな（ひらがな）**に直しなさい。

1問2点 ／10

〈例〉**カナラズ**合格する。（必ず）

① 彼の行動は**アブナイ**。（　）

② 美食に**シアワセ**を感じる。（　）

③ **キヨラカナ**水で体を洗う。（　）

④ 無意識に苦手な人を**サケル**。（　）

⑤ 魚の**ムレ**を見つける。（　）

（八）文中の**四字熟語**の――線の**カタカナ**を**漢字**に直し、**一字だけ**書きなさい。

1問2点 ／20

① 外交辞**レイ**はもうたくさんだ。（　）

② **ズ**寒足熱は健康に効果がある。（　）

③ **ハク**志弱行の人物には頼めない。（　）

④ 天**サイ**地変の対策をする。（　）

⑤ 前**ト**有望な学生に声をかける。（　）

（十）次の――線の**カタカナ**を**漢字**に直しなさい。

1問2点 ／40

① **チンミ**を食べに行く。（　）

② **ダンペン**的な知識しかない。（　）

③ カフェが**コンザツ**している。（　）

④ 思わず**ホンネ**を言う。（　）

⑤ 経済が**ハッテン**する。（　）

⑥ **キョタイ**がゆっくり動く。（　）

⑦ 事業**リョウイキ**を説明する。（　）

⑧ **ヤクザイ**の性質を知る。（　）

⑨ 全員で**ガッソウ**する。（　）

⑥ 八**ポウ**美人もほどほどにする。（　　）

⑦ 一日千**シュウ**の思いで待つ。（　　）

⑧ 無**イ**徒食はもうやめだ。（　　）

⑨ 論**シ**明快な説明を心がける。（　　）

⑩ 是**ヒ**曲直を身につける。（　　）

（九）

次の各文にまちがって使われている**同じ読みの漢字が一字**あります。**上に誤字**を、**下に正しい漢字**を書きなさい。

1問2点　／10

誤　正

① 資格を手得するための勉強に注力して合格した。（　　）〔　　〕

② 少年の純新な心を守るために両親が苦心する。（　　）〔　　〕

③ 多額の勝金を目的として参加者が劇的に増加した。（　　）〔　　〕

④ 不必要な商費が増えると家計は苦しくなる。（　　）〔　　〕

⑤ 米を補存する貯蔵庫がこわされ、抗議した。（　　）〔　　〕

⑩ **ドヒョウ**を整備する。（　　）

⑪ 先生が生徒を**シドウ**する。（　　）

⑫ 友を**ウラギ**ってしまった。（　　）

⑬ **オゴソ**かに式を行う。（　　）

⑭ この一年を**カエリ**みた。（　　）

⑮ 会合にゲストを**マネ**く。（　　）

⑯ 不自然なデータを**ノゾ**く。（　　）

⑰ 大地の**メグ**みに感謝する。（　　）

⑱ **キズグチ**を手当てする。（　　）

⑲ 木に**カミナリ**が落ちた。（　　）

⑳ **オオハバ**に価格が上がる。（　　）

第**5**回

模擬テスト

制限時間 60分

140点で合格

／200

解答 別冊P.26～27

（一） 次の――線の**漢字の読み**を**ひらがな**で書きなさい。

1問1点　／30

① **微細**なことが気になる。（　　）

② **耐久**力のある素材だ。（　　）

③ 大学で**民俗**学を研究する。（　　）

④ **服飾**の専門学校に入る。（　　）

⑤ 土地の**傾斜**を測る。（　　）

⑥ 害虫**駆除**の仕事をする。（　　）

⑦ ヘリの**尾翼**を設計する。（　　）

⑧ 自分の感情を**制御**する。（　　）

⑨ 父の心意気に**脱帽**する。（　　）

⑩ 大量の**発汗**が見られる。（　　）

㉖ 日**陰**で育つ花。（　　）

㉗ **劣**っていることを認める。（　　）

㉘ 塩を多く**含**む食品だ。（　　）

㉙ **黙**って答えようとしない。（　　）

㉚ 事故で損害を**被**る。（　　）

（二） 次の――線の**カタカナ**にあてはまる漢字をそれぞれの**ア**～**オ**から**一つ**選び、**記号**で答えなさい。

1問2点　／30

① 恩**ケイ**にあずかる。（　　）

② 伝統を**ケイ**承する。（　　）

③ この馬はどの**ケイ**統にあたるか。（　　）

（**ア** 軽　**イ** 恵　**ウ** 敬　**エ** 継　**オ** 系）

⑪ 私は単なる**傍観**者だ。（　）
⑫ **惨状**から目を背ける。（　）
⑬ **絶妙**のタイミングだ。（　）
⑭ 魚の**鮮度**をチェックする。（　）
⑮ **思慮**深い人物だ。（　）
⑯ **歓呼**して招き入れる。（　）
⑰ 石炭の**採掘**方法を調べる。（　）
⑱ **依然**として治らない。（　）
⑲ 口から火を**噴**いた。（　）
⑳ **荒波**に負けず進む。（　）
㉑ **背**に傷のある男がいる。（　）
㉒ **本腰**を入れて取りかかる。（　）
㉓ **蓄**えたお金を使う。（　）
㉔ 父が**寝息**を立てている。（　）
㉕ 建物の**跡形**もない。（　）

④ 布に針を**サ**す。（　）
⑤ 飛んでくるボールを**サ**ける。（　）
⑥ たくさんの花が**サ**く。（　）
（**ア** 割　**イ** 咲　**ウ** 避　**エ** 刺　**オ** 指）

⑦ すぐに三**シン**した。（　）
⑧ 彼は**シン**重なタイプだ。（　）
⑨ 余**シン**が続いている。（　）
（**ア** 慎　**イ** 振　**ウ** 震　**エ** 真　**オ** 臣）

⑩ 今年の**ホウ**負を述べる。（　）
⑪ 大**ホウ**を用意する。（　）
⑫ そびえ立つ高**ホウ**を見る。（　）
（**ア** 砲　**イ** 峰　**ウ** 抱　**エ** 報　**オ** 放）

⑬ 王国に**レイ**属する。（　）
⑭ 美しい**レイ**人に見とれる。（　）
⑮ **レイ**金を受け取る。（　）
（**ア** 令　**イ** 隷　**ウ** 冷　**エ** 麗　**オ** 礼）

(三) ①〜⑤の三つの□に**共通する漢字**を入れて熟語を作りなさい。漢字は**ア〜コ**から**一つ**選び、**記号**で答えなさい。

1問2点 /10

① 不□・疑□・困□ （　）
② □音・□水・□点 （　）
③ □例・□人・□夫 （　）
④ □政・人□・作□ （　）
⑤ □固・□実・中□ （　）

ア 祈　**イ** 惑　**ウ** 濁　**エ** 捕　**オ** 翼
カ 堅　**キ** 飾　**ク** 塔　**ケ** 凡　**コ** 為

(五) 次の漢字の**部首**を**ア〜エ**から**一つ**選び、**記号**で答えなさい。

1問1点 /10

① 豪（**ア** 亠　**イ** 口　**ウ** 冖　**エ** 豕） （　）
② 鬼（**ア** 田　**イ** ム　**ウ** 儿　**エ** 鬼） （　）
③ 却（**ア** 土　**イ** ム　**ウ** 丨　**エ** 卩） （　）
④ 厚（**ア** 厂　**イ** 日　**ウ** 了　**エ** 子） （　）
⑤ 蒸（**ア** 艹　**イ** 了　**ウ** 水　**エ** 灬） （　）
⑥ 殿（**ア** 尸　**イ** 八　**ウ** 殳　**エ** 又） （　）
⑦ 歳（**ア** 止　**イ** 厂　**ウ** 示　**エ** 戈） （　）
⑧ 需（**ア** 一　**イ** 雨　**ウ** 冂　**エ** 而） （　）
⑨ 透（**ア** 禾　**イ** 木　**ウ** 辶　**エ** ノ） （　）
⑩ 瞬（**ア** 目　**イ** 爫　**ウ** 冖　**エ** 舛） （　）

(四) **熟語の構成**のしかたには次のようなものがあります。

1問2点

20

ア　同じような意味の漢字を重ねたもの。　（岩石）
イ　反対または対応の意味を表す字を重ねたもの。　（高低）
ウ　上の字が下の字を修飾しているもの。　（洋画）
エ　下の字が上の字の目的語・補語になっているもの。　（着席）
オ　上の字が下の字の意味を打ち消しているもの。　（非常）

次の熟語は、右の**ア～オ**のどれにあたるか**一つ**選び、**記号**で答えなさい。

① 不順（　　）
② 存亡（　　）
③ 鋭敏（　　）
④ 経緯（　　）
⑤ 雌雄（　　）
⑥ 製菓（　　）
⑦ 仰天（　　）
⑧ 抜群（　　）
⑨ 救援（　　）
⑩ 騒音（　　）

(六) 後の［　］の中のひらがなを漢字に直して□に入れ、**対義語・類義語**を作りなさい。［　］の中のひらがなは**一度だけ**使い、**漢字一字**を書きなさい。

1問2点

20

対義語

① 柔和―□暴
② 在宅―□守
③ 近海―遠□
④ 客席―□台
⑤ 若年―老□

類義語

⑥ 健康―□夫
⑦ 逆上―興□
⑧ 運搬―□送
⑨ 道理―□道
⑩ 団結―結□

きょう・じょう・すじ・そく・ぶ・ふん・ゆ・よう・れい・る

（七）次の――線のカタカナを漢字一字と送りがな（ひらがな）に直しなさい。

1問2点 10

〈例〉**カナラズ**合格する。（必ず）

① 往来でのけんかを**サバク**。（　　）

② 細い枝が**タレ**ている。（　　）

③ 君と**スゴシ**た日々。（　　）

④ 山の上に大きな城を**キズク**。（　　）

⑤ 試合に出られなくて**クサル**。（　　）

（八）文中の四字熟語の――線のカタカナを漢字に直し、一字だけ書きなさい。

1問2点 20

① 家族の無病**ソク**災を願う。（　　）

② この展示は同工**イ**曲ではない。（　　）

③ 舌先三**ズン**で丸めこまれた。（　　）

④ 一進一**タイ**の状態が続く。（　　）

⑤ 悪口**ゾウ**言に負けない。（　　）

（十）次の――線のカタカナを漢字に直しなさい。

1問2点 40

① 会員が**キュウゾウ**した。（　　）

② **サッソク**動き始めた。（　　）

③ 国交を**ジュリツ**する。（　　）

④ 売上減の**ヨウイン**を知る。（　　）

⑤ 参加者に**ハクシュ**された。（　　）

⑥ グラスに**スイテキ**がつく。（　　）

⑦ 彼には**ベンメイ**の余地がない。（　　）

⑧ **リンジ**ニュースを読む。（　　）

⑨ **ヘイサ**的な空間だ。（　　）

⑥ 七転八**キ**する姿に感動した。（　　）

⑦ 問答無**ヨウ**で機器を取り上げた。（　　）

⑧ 不可**コウ**力の事故をなげく。（　　）

⑨ **オン**故知新を大事にする。（　　）

⑩ **ショ**行無常を感じる。（　　）

（九）

次の各文にまちがって使われている**同じ読みの漢字**が**一字**あります。**上に誤字**を、**下に正しい漢字**を書きなさい。

1問2点 ／10

	誤	正
① 既存の生活を解善する余地は十分にあると客観視する。	（　　）	［　　］
② 運転中に機険を察知して右折し、事故を未然に防いだ。	（　　）	［　　］
③ 飲食店を開業するという友人の夢が実源した。	（　　）	［　　］
④ 未使用の衣服や不要品を集納して部屋を整理した。	（　　）	［　　］
⑤ 問題の対往に苦慮した結果だ。	（　　）	［　　］

⑩ 四月**ジョウジュン**になる。（　　）

⑪ 二人を**シュクフク**する。（　　）

⑫ とても**イサ**ましい性格だ。（　　）

⑬ ズボンの**ネフダ**を見る。（　　）

⑭ 素敵な品を**サズ**かる。（　　）

⑮ 実力では相手に**マサ**っている。（　　）

⑯ **アズ**かった物を返す。（　　）

⑰ 大きな**モモ**の実がなる。（　　）

⑱ ドアを**オ**して開ける。（　　）

⑲ 大きな**コメダワラ**を運ぶ。（　　）

⑳ **ワタ**りに船とはこのことだ。（　　）

第6回 模擬テスト

制限時間 60分

140点で合格

/200

解答 別冊P.28～29

(一) 次の——線の**漢字の読み**を**ひらがな**で書きなさい。

1問1点 /30

① **光輝**ある人生を送る。（　　）
② **秀麗**な赤城山の姿を望む。（　　）
③ **優越**感を前面にだす。（　　）
④ 手数料を**徴収**する。（　　）
⑤ アメリカ**渡航**の準備をする。（　　）
⑥ いきなりで**当惑**した。（　　）
⑦ 熱帯魚が**繁殖**する。（　　）
⑧ 彼のいきおいに**拍車**をかけた。（　　）
⑨ 近くの**店舗**で買う。（　　）
⑩ 大きな**飛躍**となる結果だ。（　　）

㉖ どこよりも技術で**勝**る。（　　）
㉗ 窓に**飾**りを付ける。（　　）
㉘ 美しい**舞**を見せる。（　　）
㉙ **鬼**のような形相だ。（　　）
㉚ 文書を**公**にする。（　　）

(二) 次の——線の**カタカナ**にあてはまる漢字をそれぞれの**ア**～**オ**から**一つ**選び、**記号**で答えなさい。

1問2点 /30

① 相手に**カン**告する。（　　）
② **カン**呼して待っている。（　　）
③ **カン**境の変化がある。（　　）

（**ア** 感　**イ** 勧　**ウ** 環　**エ** 歓　**オ** 館）

⑪ **恒星**の定義を知る。（　　）
⑫ 自分の弱さを**是認**した。（　　）
⑬ **淡白**な味の料理だ。（　　）
⑭ 祖父は**扇子**を使う。（　　）
⑮ **蓄積**してきた経験がある。（　　）
⑯ 数**箇所**まちがえている。（　　）
⑰ **余暇**を存分に楽しむ。（　　）
⑱ 説明の内容に**釈然**としない。（　　）
⑲ うどんをつゆに**浸**す。（　　）
⑳ グラスに水の**滴**がつく。（　　）
㉑ **鎖**がつながっている。（　　）
㉒ **矛**を武器として選ぶ。（　　）
㉓ **幾**千もの年月をへる。（　　）
㉔ かれは**操**り人形のようだ。（　　）
㉕ **鉛**のようなパンチだ。（　　）

④ 根**キョ**のない話だ。（　　）
⑤ **キョ**人の存在を疑う。（　　）
⑥ 選**キョ**で演説する。（　　）
（ア 巨　イ 去　ウ 挙　エ 拠　オ 居）

⑦ **ス**んだ水を飲む。（　　）
⑧ 紙が**ス**けている。（　　）
⑨ **ス**んだ話はよそう。（　　）
（ア 住　イ 好　ウ 澄　エ 透　オ 済）

⑩ **ノウ**密な時間を過ごす。（　　）
⑪ 日記に苦**ノウ**をつづる。（　　）
⑫ 右**ノウ**の働きを知る。（　　）
（ア 脳　イ 濃　ウ 能　エ 悩　オ 農）

⑬ **ビ**力ながら手伝う。（　　）
⑭ 首**ビ**よく進んでいる。（　　）
⑮ 静かに準**ビ**を進める。（　　）
（ア 備　イ 火　ウ 微　エ 尾　オ 美）

（三）

①〜⑤の三つの□に**共通する漢字**を入れて熟語を作りなさい。漢字は**ア〜コ**から**一つ**選び、**記号**で答えなさい。

1問2点　／10

① 初□・再□・新□　（　　）
② 自□・高□・□性　（　　）
③ 仲□・□在・魚□　（　　）
④ 事□・要□・条□　（　　）
⑤ 英□・□大・群□　（　　）

ア 雄　**イ** 婚　**ウ** 慢　**エ** 劣　**オ** 幾
カ 項　**キ** 茂　**ク** 峰　**ケ** 暦　**コ** 介

（五）

次の漢字の**部首**を**ア〜エ**から**一つ**選び、**記号**で答えなさい。

1問1点　／10

① 紫　（**ア** 止　**イ** 匕　**ウ** 幺　**エ** 糸）　（　　）
② 甘　（**ア** 一　**イ** 口　**ウ** 甘　**エ** 日）　（　　）
③ 戒　（**ア** 一　**イ** 丶　**ウ** 戈　**エ** ノ）　（　　）
④ 勉　（**ア** ノ　**イ** 儿　**ウ** 免　**エ** 力）　（　　）
⑤ 搬　（**ア** 扌　**イ** 舟　**ウ** 几　**エ** 殳）　（　　）
⑥ 奥　（**ア** ノ　**イ** 冂　**ウ** 米　**エ** 大）　（　　）
⑦ 隠　（**ア** 阝　**イ** ⺍　**ウ** 彐　**エ** 心）　（　　）
⑧ 敏　（**ア** ノ　**イ** 攵　**ウ** 又　**エ** 母）　（　　）
⑨ 隣　（**ア** 阝　**イ** 木　**ウ** 米　**エ** 舛）　（　　）
⑩ 盤　（**ア** 舟　**イ** 几　**ウ** 殳　**エ** 皿）　（　　）

(四) **熟語の構成**のしかたには次のようなものがあります。

1問2点 / 20

ア 同じような意味の漢字を重ねたもの。 **(岩石)**
イ 反対または対応の意味を表す字を重ねたもの。 **(高低)**
ウ 上の字が下の字を修飾しているもの。 **(洋画)**
エ 下の字が上の字の目的語・補語になっているもの。 **(着席)**
オ 上の字が下の字の意味を打ち消しているもの。 **(非常)**

次の熟語は、右の**ア**～**オ**のどれにあたるか**一つ**選び、**記号**で答えなさい。

① 砂丘（　　）
② 功罪（　　）
③ 未踏（　　）
④ 禁煙（　　）
⑤ 師弟（　　）

⑥ 不眠（　　）
⑦ 油脂（　　）
⑧ 違約（　　）
⑨ 鉄塔（　　）
⑩ 筆跡（　　）

(六) 後の□の中のひらがなを漢字に直して□に入れ、**対義語・類義語**を作りなさい。□の中のひらがなは**一度だけ**使い、**漢字一字**を書きなさい。

1問2点 / 20

対義語

① 歓声―悲□
② 脱退―□加
③ 陰性―□性
④ 沈殿―□遊
⑤ 執着―□念

類義語

⑥ 冷淡―□情
⑦ 対照―比□
⑧ 恒久―永□
⑨ 雑踏―□雑
⑩ 最初―□頭

えん・かく・こん・さん・だん・はく・ふ・ぼう・めい・よう

第6回 模擬テスト

（七）次の――線の**カタカナ**を**漢字一字**と**送りがな（ひらがな）**に直しなさい。

1問2点 /10

〈例〉**カナラズ**合格する。（必ず）

① 工員が鉄板をねじ**マゲル**。（　　）

② 知人が**タズネ**てきた。（　　）

③ 朝のあいさつを**カワス**。（　　）

④ 息子が両親を**ヤシナウ**。（　　）

⑤ **サス**ようないたみを感じる。（　　）

（八）文中の**四字熟語**の――線の**カタカナ**を**漢字**に直し、**一字だけ**書きなさい。

1問2点 /20

① 博**ラン**強記の人物がいれば安心だ。（　　）

② 起**シ**回生の策を考案する。（　　）

③ 無理算**ダン**してどうにか終わった。（　　）

④ 縦**オウ**無尽のプレイを見せた。（　　）

⑤ 力戦**フン**闘の結果の勝利だ。（　　）

（十）次の――線の**カタカナ**を**漢字**に直しなさい。

1問2点 /40

① **ツウカイ**な話を聞いた。（　　）

② 大豆を**チョゾウ**しておく。（　　）

③ 集めた**チョサク**を並べる。（　　）

④ 自分の**シヤ**を広げる。（　　）

⑤ **ドクセン**禁止法を学ぶ。（　　）

⑥ 待ち合わせに**チコク**する。（　　）

⑦ **オウエン**した高校が勝つ。（　　）

⑧ 許可を得て**ガイハク**する。（　　）

⑨ **ミンシュウ**がなだれこむ。（　　）

⑥ 他人行ギなふるまいだ。（　　）
⑦ 思リョ分別のない言動をやめる。（　　）
⑧ 一件ラク着と相成った。（　　）
⑨ 単トウ直入な物言いをする人だ。（　　）
⑩ 部長の発言は本末転トウだ。（　　）

（九） 次の各文にまちがって使われている**同じ読みの漢字**が**一字**あります。**上に誤字**を、**下に正しい漢字**を書きなさい。

1問2点　/10

誤　正
① 意産を相続した親類が有効な活用法を検討する。（　　）［　　］
② 何回も格認と修正をくり返した報告書が完成した。（　　）［　　］
③ 大雨係報が発表され、付近の住人は小学校に移動した。（　　）［　　］
④ 以前から誌望している高校に尊敬する教師がいる。（　　）［　　］
⑤ 今年の晩秋で有能な議長の認期が終わる。（　　）［　　］

⑩ サンピの分かれる映画だ。（　　）
⑪ ゲンカンに物を置く。（　　）
⑫ タビカサなるあやまちを犯す。（　　）
⑬ 父のセナカを流す。（　　）
⑭ 犬をダきかかえる。（　　）
⑮ 新しいカドデに立ち会う。（　　）
⑯ この服はすべてキヌだ。（　　）
⑰ ムナモトがはだける。（　　）
⑱ キタナい水をきれいにする。（　　）
⑲ そっと手にフれる。（　　）
⑳ ホコり高き人に会う。（　　）

第7回 模擬テスト

制限時間 60分

140点で合格

/200

解答 別冊P.30～31

(一) 次の――線の**漢字の読み**を**ひらがな**で書きなさい。

1問1点 /30

① 彼に**匹敵**する人はいない。（　）
② 海外**遠征**を計画する。（　）
③ 念願の**皆勤**賞をもらう。（　）
④ **繁忙**期に向けて準備する。（　）
⑤ **祈願**したかいがあった。（　）
⑥ 試験の**傾向**をつかむ。（　）
⑦ **軽薄**な話し方を改める。（　）
⑧ 黄色い**声援**が飛ぶ。（　）
⑨ 映画を**投影**する。（　）
⑩ 予定外の事態に**即応**する。（　）

㉖ 彼女は常に人を**惑**わす。（　）
㉗ **出払**って一人もいない。（　）
㉘ その意見は**筋違**いだ。（　）
㉙ カブトムシを**捕**る。（　）
㉚ **詳**しい話を聞く。（　）

(二) 次の――線の**カタカナ**にあてはまる漢字をそれぞれのア～オから**一つ**選び、**記号**で答えなさい。

1問2点 /30

① **カイ**助の大事さを知る。（　）
② 体調が全**カイ**した。（　）
③ **カイ**段を上っていく。（　）

（ア 回　イ 快　ウ 介　エ 改　オ 階）

⑪ 土を**満載**したトロッコが走る。（　　）

⑫ **塔**の上から景色を見る。（　　）

⑬ 海外に**逃避**する。（　　）

⑭ **劣等**感をばねにする。（　　）

⑮ 民が**越境**を画策する。（　　）

⑯ **引率**の先生について行く。（　　）

⑰ 彼に**触発**された。（　　）

⑱ **信仰**を大事にする。（　　）

⑲ ある会社が**独占**している。（　　）

⑳ 素材は**木綿**がいいと言う。（　　）

㉑ 彼女に寄り**添**っている。（　　）

㉒ 少しずつ資産を**殖**やす。（　　）

㉓ **狭**い部屋に入った。（　　）

㉔ **大詰**めの場面になった。（　　）

㉕ **世渡**り上手が出世した。（　　）

④ 自身の力を**コ**示する。（　　）

⑤ 祭りで太**コ**を打つ。（　　）

⑥ **コ**意にぶつかった。（　　）

（ア 誇　イ 湖　ウ 鼓　エ 個　オ 故）

⑦ **シュ**味はゴルフだ。（　　）

⑧ **シュ**肉をつける。（　　）

⑨ **シュ**席で卒業する。（　　）

（ア 首　イ 朱　ウ 種　エ 趣　オ 主）

⑩ 彼の呼**ショウ**を考える。（　　）

⑪ 国会を**ショウ**集する。（　　）

⑫ 本で**ショウ**介された店だ。（　　）

（ア 将　イ 称　ウ 賞　エ 召　オ 紹）

⑬ 薬を水に**ト**かす。（　　）

⑭ 事の重大さを**ト**く。（　　）

⑮ 会社で指揮を**ト**る。（　　）

（ア 説　イ 解　ウ 執　エ 溶　オ 捕）

(三)

①～⑤の三つの□に**共通する漢字**を入れて熟語を作りなさい。漢字は**ア～コ**から**一つ**選び、**記号**で答えなさい。

1問2点 /10

① □干・空□・□外 （　）
② □識・□賞・名□ （　）
③ □号・□気・□声 （　）
④ □星・□例・□久 （　）
⑤ □動・□幅・強□ （　）

ア 召　イ 欄　ウ 悩　エ 拠　オ 恒
カ 振　キ 鑑　ク 怒　ケ 執　コ 稿

(五)

次の漢字の**部首**を**ア～エ**から**一つ**選び、**記号**で答えなさい。

1問1点 /10

① 再（ア 一　イ 田　ウ 丨　エ 冂）（　）
② 扇（ア 一　イ 尸　ウ 羽　エ 戸）（　）
③ 更（ア 一　イ 田　ウ 曰　エ 丨）（　）
④ 我（ア ノ　イ 一　ウ 丶　エ 戈）（　）
⑤ 敷（ア 亠　イ 田　ウ 方　エ 攵）（　）
⑥ 疲（ア 广　イ 疒　ウ 又　エ 皮）（　）
⑦ 罰（ア 襾　イ 罒　ウ 言　エ 刂）（　）
⑧ 幾（ア 一　イ 戈　ウ 幺　エ 人）（　）
⑨ 煙（ア 火　イ 罒　ウ 襾　エ 土）（　）
⑩ 獲（ア 犭　イ 艹　ウ 隹　エ 又）（　）

(四)

熟語の構成のしかたには次のようなものがあります。

1問2点 ／20

ア　同じような意味の漢字を重ねたもの。（岩石）
イ　反対または対応の意味を表す字を重ねたもの。（高低）
ウ　上の字が下の字を修飾しているもの。（洋画）
エ　下の字が上の字の目的語・補語になっているもの。（着席）
オ　上の字が下の字の意味を打ち消しているもの。（非常）

次の熟語は、右の**ア**〜**オ**のどれにあたるか**一つ**選び、**記号**で答えなさい。

①耐火（　）
②攻守（　）
③鋭角（　）
④汚点（　）
⑤新鮮（　）
⑥比較（　）
⑦濃淡（　）
⑧思慮（　）
⑨不沈（　）
⑩別離（　）

(六)

後の［　］の中のひらがなを漢字に直して□に入れ、**対義語**・**類義語**を作りなさい。［　］の中のひらがなは**一度だけ**使い、**漢字一字**を書きなさい。

1問2点 ／20

対義語

①就寝―起□
②誕生―永□
③不振―□調
④開放―閉□
⑤保守―□新

類義語

⑥屈指―□群
⑦地道―□実
⑧隷属―□服
⑨推量―□測
⑩沈着―冷□

おく・かく・けん・こう・さ・じゅう・しょう・せい・ばつ・みん

(七) 次の——線のカタカナを漢字一字と送りがな(ひらがな)に直しなさい。

1問2点 /10

〈例〉カナラズ合格する。(必ず)

① 見る見るうちに体がチヂム。(　　)
② 不安な気持ちをイダク。(　　)
③ 彼はアキラカニ不自然だ。(　　)
④ カリスマが民衆をミチビク。(　　)
⑤ タヨリにしている相棒だ。(　　)

(八) 文中の四字熟語の——線のカタカナを漢字に直し、一字だけ書きなさい。

1問2点 /20

① ゼン人未到の道を走破する。(　　)
② カ鳥風月の美しさをめでる。(　　)
③ 古コン東西の事件について聞く。(　　)
④ 小シン翼々として顔色をうかがう。(　　)
⑤ 全国の名所キュウ跡を訪ねて回る。(　　)

(十) 次の——線のカタカナを漢字に直しなさい。

1問2点 /40

① 資材を遠くにユソウする。(　　)
② 問題がフクザツだ。(　　)
③ 大きなブタイに立った。(　　)
④ コウゴにボールを投げ合う。(　　)
⑤ 彼はユウシュウだそうだ。(　　)
⑥ 民間団体をソウリツする。(　　)
⑦ ボケツをほってしまった。(　　)
⑧ ギターをエンソウする。(　　)
⑨ カミツスケジュールをこなす。(　　)

⑥ 現**ジョウ**維持が最適だ。（　）

⑦ おかげで大義名**ブン**が立った。（　）

⑧ 音**ト**朗々のスピーチを聞く。（　）

⑨ 三寒四**オン**の季節になりました。（　）

⑩ その知らせは驚**テン**動地だ。（　）

（九）

次の各文にまちがって使われている**同じ読みの漢字が一字**あります。**上に誤字**を、**下に正しい漢字**を書きなさい。

1問2点　／10

誤　正

① 自信を持って出品したが職人の作品と比べると確段に差があった。（　）［　］

② 飲んだ液体が気官に入り、周囲が動転するほどせきこんだ。（　）［　］

③ 残念ながら選考に落ちた参加者の救裁方法を考える。（　）［　］

④ 有望な新人が小来の計画を取引先に説明した。（　）［　］

⑤ 帰省して散歩していると、幼少の思い出が送起された。（　）［　］

⑩ 神の**ケシン**と言われている。（　）

⑪ **リュウシ**の研究をする。（　）

⑫ 城から**ダッソウ**する。（　）

⑬ 友人の顔が**カガヤ**いた。（　）

⑭ 友人の**ヒタイ**をたたく。（　）

⑮ ほめられて**テ**れる。（　）

⑯ 土を**モ**って家を建てる。（　）

⑰ 意見に**モト**づき判断する。（　）

⑱ 道具を大切に**アツカ**う。（　）

⑲ 責任ある仕事を**ツト**める。（　）

⑳ 話す**タビ**に楽しくなる。（　）

弱点を克服しよう

漢検4級は 10 分野の問題で構成されます。問題の種類が多いぶん、不得意なジャンルに足を引っ張られる人もいます。合格を確実にするために、自分の強みと弱点を理解しておきましょう。

❶ まずはとにかく解いて、自分の力を試す

1 人 1 人が持っている漢字の知識はそれぞれです。まずは、ミニテストを数回解いて、分野ごとの点数を出してみましょう。本書では別冊の最後のページに「弱点が見つかる！ミニテスト採点表」をつけました。各ジャンルの得点率を出せば、自分の強みと弱点が見えてきます。

もし、苦手分野がたくさんあっても大丈夫。まだ漢字を覚えきれていないだけです。最初は漢字の練習と思って、答えを見ながら解いても OK です。

やってみよう

- ☐ まずは、5 回分解いてみる
- ☐ 採点表に点数を書いて、分野ごとの得点率を出してみる
- ☐ 自分の強みと弱点を確認する

❷ 巻末付録で弱点補強！

弱点がわかったら、その部分を集中対策しましょう。

本書の巻末付録には、各ジャンルの「苦手克服！ 分野別攻略法」と「よく出る問題リスト」を用意しました。よく出る問題ばかり集めているので、短い時間で弱点をカバーできます。

やってみよう

- ☐ 攻略法ページを読んで、問題の解き方をチェック
- ☐ よく出る問題リストの答えを隠して、暗記リストとして使う

❸ 弱点対策の優先順位を考える

苦手をすべてなくす必要はありません。複数の弱点分野があるときは「その分野の重要度」を考えましょう。例えば「部首」と「書き取り」が苦手な場合、時間をかけるべきなのは書き取り対策です。部首は配点が 10 点と少なめで、しかもマークシート方式でかんたんだからです。P.112 の「分野から見る 4 級攻略法」を参考に、対策の優先順位をつけましょう。

やってみよう

- ☐ 分野ごとの配点を頭に入れる
- ☐ 各分野で何点取れば合格の目安 140 点に届くか計算する
- ☐ 配点が高く範囲が広い分野を優先して対策する

巻末付録

巻末付録の使い方

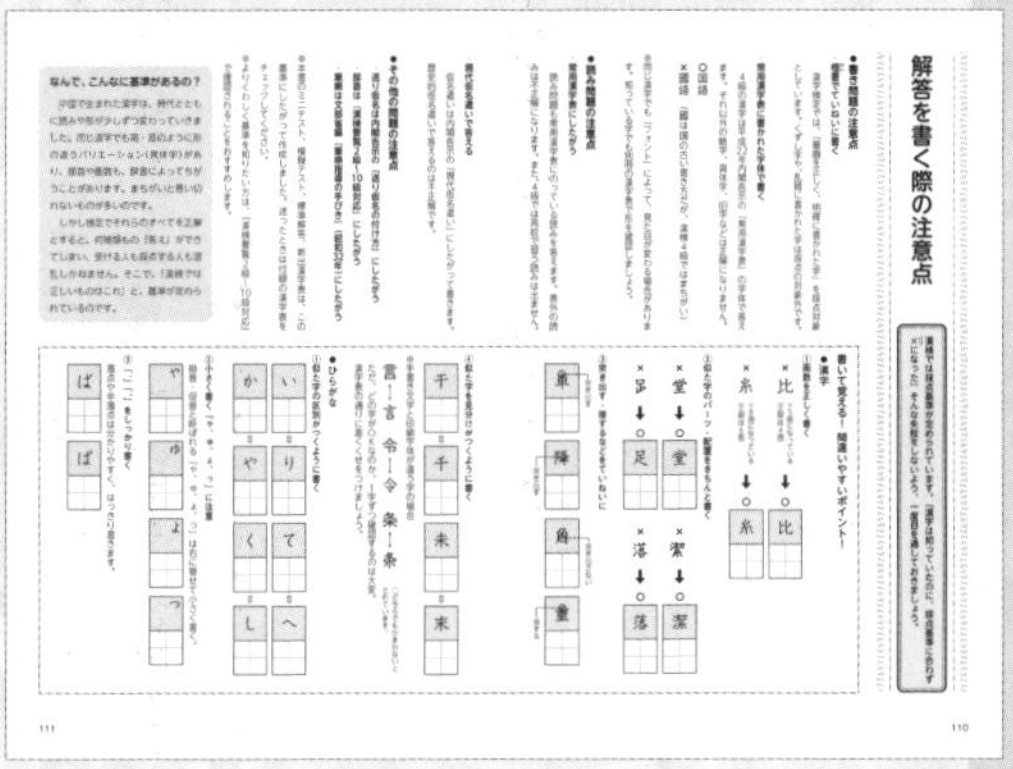

◀目を通しておきたい お役立ちページ

漢検の配点や、解答を書く際の注意点など、合格のために知っておきたいポイントを紹介しています。

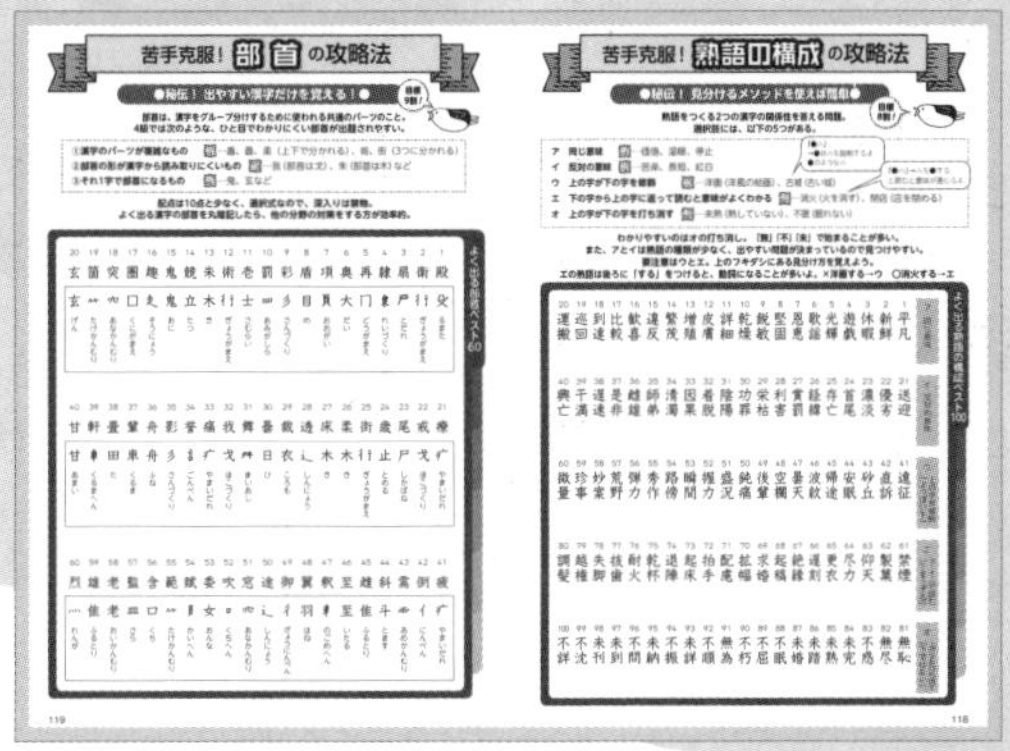

攻略の秘伝＆よく出る問題リスト▶

分野ごとの解き方のコツと、よく出る問題リストを掲載。ここを押さえれば、苦手な問題を攻略できます！

解答を書く際の注意点

漢検では採点基準が定められています。「漢字は知っていたのに、採点基準に合わず×《バツ》になった」そんな失敗をしないよう、一度目を通しておきましょう。

●書き問題の注意点

・楷《かい》書でていねいに書く

漢字検定では、「筆画を正しく、明確に書かれた字」を採点対象としています。くずし字や、乱雑に書かれた字は採点の対象外です。

・常用漢字表に書かれた字体で書く

4級の漢字は平成22年内閣告示の「常用漢字表」の字体で答えます。それ以外の略字、異体字、旧字などは正解になりません。

○国語

×國語（國は国の古い書き方だが、漢検4級ではまちがい）

※同じ漢字でも「フォント」によって、見た目が変わる場合があります。知っている字でも別冊の漢字表で形を確認しましょう。

●読み問題の注意点

・常用漢字表にしたがう

読み問題も常用漢字表にのっている読みを答えます。表外の読みは不正解になります。また、4級では高校で習う読みは出ません。

書いて覚える！ 間違いやすいポイント！

●漢字

①画数を正しく書く

×比 ×5画になっている（正解は4画） → ○比

×糸 ×8画になっている（正解は6画） → ○糸

②似た字のパーツ・配置をきちんと書く

×堂 → ○堂

×足 → ○足

×潔 → ○潔

×落 → ○落

③突き出す・接するなどをていねいに

単（突き出す）

降（突き出す）

角（突き出さない）

重（接する）

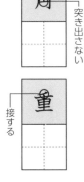

・**現代仮名遣いで答える**

仮名遣いは内閣告示の「現代仮名遣い」にしたがって書きます。歴史的仮名遣いで答えるのは不正解です。

●その他の問題の注意点

・**送り仮名は内閣告示の「送り仮名の付け方」にしたがう**

・**部首は『漢検要覧2級～10級対応』にしたがう**

・**筆順は文部省編『筆順指導の手びき』（昭和32年）にしたがう**

※本書のミニテスト、模擬テスト、標準解答、新出漢字表は、この基準にしたがって作成しました。迷ったときは付録の漢字表をチェックしてください。

※よりくわしく基準を知りたい方は、『漢検要覧2級～10級対応』で確認されることをおすすめします。

なんで、こんなに基準があるの？

中国で生まれた漢字は、時代とともに読みや形が少しずつ変わっていきました。同じ漢字でも高・髙のように形の違うバリエーション（異体字）があり、部首や画数も、辞書によってちがうことがあります。まちがいと言い切れないものが多いのです。

しかし検定でそれらのすべてを正解とすると、何種類もの「答え」ができてしまい、受ける人も採点する人も混乱しかねません。そこで、「漢検では正しいものはこれ」と、基準が定められているのです。

④似た字を見分けがつくように書く

干 ⇔ 千

未 ⇔ 末

※手書き文字と印刷字体が違う字の場合

言↔言　令↔令　条↔条

○どちらでもかまわないとされています。

ただ、どの字がOKなのか、1字ずつ確認するのは大変。漢字表の通りに書くくせをつけましょう。

●ひらがな

①似た字の区別がつくように書く

い ⇔ り　て ⇔ へ

か ⇔ や　く ⇔ し

②小さく書く「ゃ、ゅ、ょ、っ」に注意

拗音・促音と呼ばれる「ゃ、ゅ、ょ、っ」は右に寄せて小さく書く。

ゃ　ゅ　ょ　っ

③「゛」「゜」をしっかり書く

濁点や半濁点は分かりやすく、はっきり書きます。

ば　ぱ

分野から見る4級攻略法

4級では10分野の問題が出されます。分野によって解答方法や配点はさまざま。どの分野で点数をゲットするか、戦略を立てて対策しましょう。

試験内容は変わる場合があります

①読み

30点 1問1点×30問 手書き

漢字の読みをひらがなで書く問題。「高校で習う読み」は出ない。

②同音・同訓異字

30点 1問2点×15問 マークシート

選択肢から、同じ読みの漢字の使い分けを選ぶ問題。漢字の意味を理解しておく必要がある。

③漢字識別

10点 1問2点×5問 マークシート

3つの熟語に共通する漢字を答える問題。二字熟語の知識が問われる。

④熟語の構成

20点 1問2点×10問 マークシート

熟語を作る漢字の関係性を答える問題。苦手な人も多いけれど、解き方のルールさえ分かれば簡単。

合格の目安をゲットする作戦を立てよう

4級の合格の目安は70％程度。つまり、200点満点中140点が必要です。分野ごとの問題の特徴を知り、合格のための「戦略」を立てましょう。

①記号で答える分野

「同音・同訓異字」「漢字識別」「熟語の構成」「部首」

記号問題（マークシート）は、書きまちがいによる減点がないぶん、点数を取りやすい分野です。「まぐれ当たり」もありえるので、自信がない問題でも解答はすべて埋めましょう。

②出題数の多い分野

「書き取り」「読み」「同音・同訓異字」

問題の数も種類も多いのが特徴です。とにかく早めの対策が必要です。「読み」「書き取り」は両方で出る熟語も多いので、関連づけて覚えましょう。

⑤部首

10点
1問1点×10問
マークシート

選択肢から、正しい部首を選ぶ問題。覚える量の割に配点が少ないので、出やすい問題だけ覚えよう。

⑥対義語・類義語

20点
1問2点×10問
手書き

問題に書かれた二字熟語の「対義語」「類義語」を答える問題。難しそうに見えるが、1字は問題に書かれており、読みの選択肢のヒントもある。

⑦送りがな

10点
1問2点×5問
手書き

漢字と送りがなを書く問題。「どこからひらがなで書くか」を覚える必要があるが、それ以外は書き取りと同じ。

⑧四字熟語

20点
1問2点×10問
手書き

四字熟語の中の1字を漢字で書く問題。4級になると普段聞いたことのない熟語も増えてくる。他のジャンルとの重複が少なく、専用の対策が必要。

⑨誤字訂正

10点
1問2点×5問
手書き

文章の間違いを見つけて正しい字を書く問題。いくつかのパターンはあるが、二字熟語の知識の総合力が問われる。

⑩書き取り

40点
1問2点×20問
手書き

カタカナを漢字に直す問題。漢字の知識のほか、その漢字だとわかるように「ていねい」に書く力も重要。

③専用の対策が必要な分野

「熟語の構成」「対義語・類義語」「四字熟語」「部首」

その分野に特化した知識が必要な分野です。点数も比較的多く手が抜けません。ただし、同じ問題がくりかえし出やすく、一度攻略できれば得点源にできます。

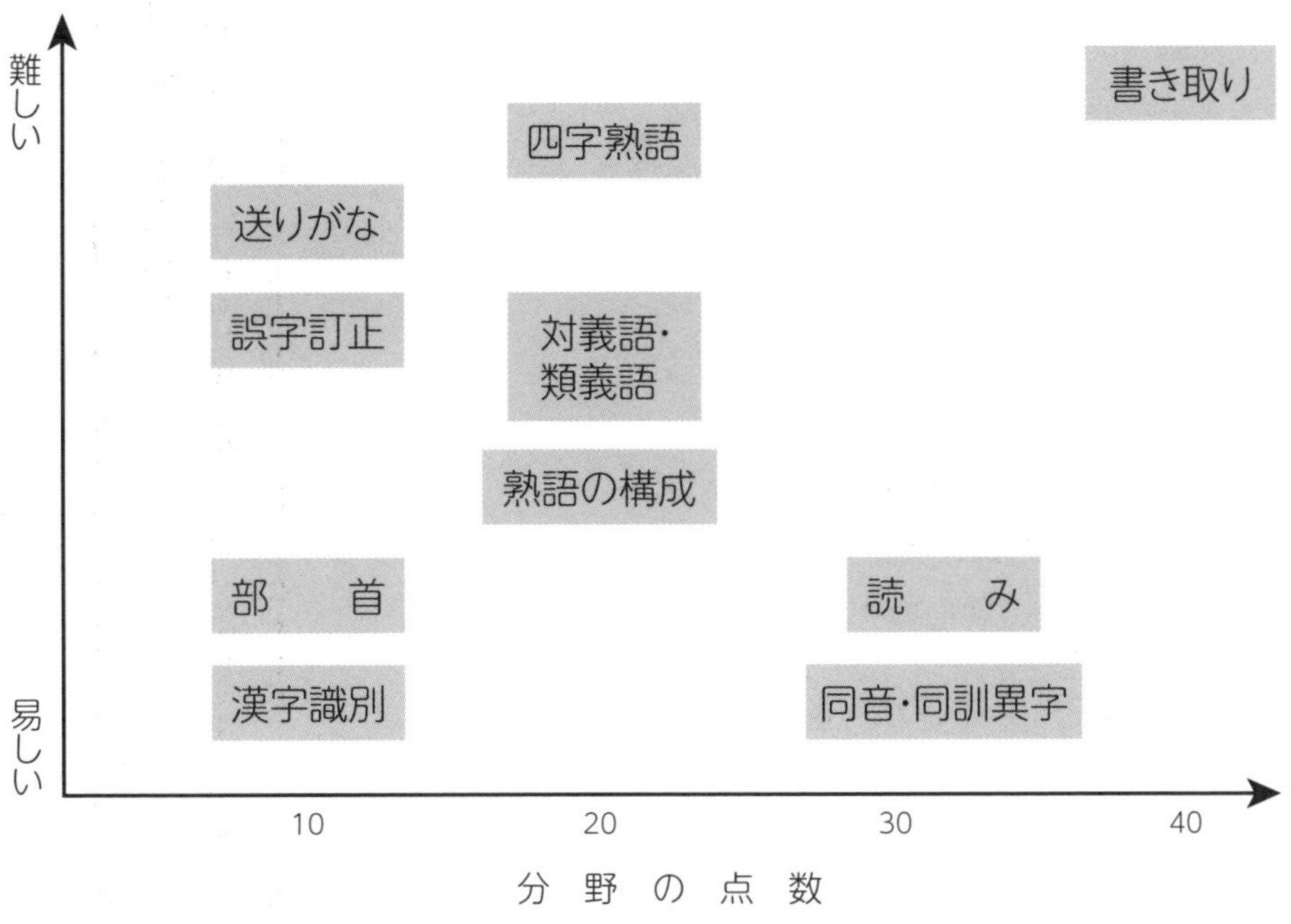

試験概要

漢字検定は日本漢字能力検定協会が主催する検定です。1級から10級までの12段階に分かれ、4級は中学校在学程度の知識を目安にしています。

●受検資格

だれでも受けられます。

●検定会場

全国の主要都市に設置されます。団体受検では、準会場が学校などに設置されます。CBT（コンピューター）試験では各地のテストセンターでも受検できます。級によってはタブレットなどを使ってインターネット経由で自宅受検できる漢検オンラインも実施されています。

●検定時期

年3回（6月、11～12月、翌年1～2月）。

団体受検やCBT受検の場合は、日本漢字能力検定協会に問い合わせましょう。

●申込方法

インターネットで申し込む

インターネットで申込フォームにアクセスし必要事項を入力する。

クレジットカード決済、コンビニ決済などで検定料を支払う。

※試験要項・申込方法は変わる場合があります。事前に必ず協会のHPで確認しましょう。

問い合わせ先

公益財団法人　日本漢字能力検定協会

〒605-0074　京都市東山区祇園町南側551

ホームページ　https://www.kanken.or.jp/

フリーダイヤル　0120-509-315

※土日・祝日・お盆・年末年始を除く9：00～17：00

苦手克服！ 読み の攻略法

●秘伝！「訓読み」を先にマスターで効率UP●

読みでは、音読みと訓読みがバランスよく出される。
ところが、訓読みは音読みと比べて、問題の種類が少ない。
つまり同じ問題がくり返し出される。まず、出やすい「訓読み」を覚えて得点源にしよう！
訓読みは「送りがな」でも問われる。どこから送りがなにするのかも一緒に覚えると効率的！

よく出る読みベスト77

1	幾つ	いくつ
2	鈍い	にぶい
3	傾く	かたむく
4	寂しい	さびしい
5	殖える	ふえる
6	召す	めす
7	頼る	たよる
8	浸る	ひたる
9	誇る	ほこる
10	茂る	しげる
11	摘む	つむ
12	背く	そむく
13	濁る	にごる
14	更に	さらに
15	滴	しずく
16	丈	たけ
17	静寂	せいじゃく
18	腕章	わんしょう
19	粒子	りゅうし
20	陰	かげ
21	蓄える	たくわえる
22	矛先	ほこさき
23	雌	めす
24	煙る	けむる
25	伺う	うかがう
26	荒波	あらなみ
27	慎む	つつしむ
28	狭まる	せばまる
28	狭い	せまい
29	惑う	まどう
30	嘆く	なげく
31	彼岸	ひがん
32	敷く	しく
33	縁	ふち
34	遣う	つかう
35	出払う	ではらう
36	遺稿	いこう
37	道端	みちばた
38	橋渡し	はしわたし
39	民俗	みんぞく
40	増幅	ぞうふく
41	寝息	ねいき
42	髪飾り	かみかざり
43	脈絡	みゃくらく
44	授ける	さずける
45	小遣い	こづかい
46	柄	がら
47	仰ぐ	あおぐ
48	要旨	ようし
49	端麗	たんれい
50	繰る	くる
51	盗掘	とうくつ
52	傾斜	けいしゃ
53	乱舞	らんぶ
54	香料	こうりょう
55	網	あみ
56	図る	はかる
57	耐熱	たいねつ
58	扇子	せんす
59	駆除	くじょ
60	皆勤	かいきん
61	匹敵	ひってき
62	毛髪	もうはつ
63	添う	そう
64	恥じる	はじる
64	恥	はじ
65	執念	しゅうねん
66	朱肉	しゅにく
67	鉛	なまり
68	躍る	おどる
69	寄稿	きこう
70	箱詰め	はこづめ
71	欄干	らんかん
72	跡形	あとかた
73	制御	せいぎょ
74	手狭	てぜま
75	暦	こよみ
76	襲名	しゅうめい
77	歌謡	かよう

複数の読みがあるものは、よく出る読みを掲載しています。

苦手克服！同音・同訓異字の攻略法

●秘伝！ 熟語ごと覚えて、使い分けをマスター！●

目標9割！

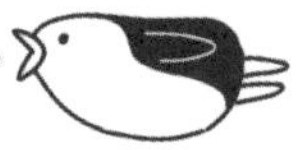

選択肢から、同音・同訓異字の使い分けを選ぶ問題。
「二字熟語の中の1字」をたずねる問題が多い。
攻略のポイントは、漢字と一緒に熟語を覚えること。まずは、下のよく出る漢字と熟語を丸暗記しよう。よく出る二字熟語は別冊の漢字表にも掲載しているよ。

よく出る同音同訓異字ベスト18

1 と　執る　捕る　溶ける

- 仕事を行う。処理する　例…ペンを執る
- 動物などをつかまえる　例…虫を捕る
- 液体を加えてまぜあわせる　例…水に溶かす

2 とう　透　盗　唐

- すきとおる　例…透明、浸透
- 他人のものをとる　例…盗難、強盗
- 中国の古い呼び名　例…唐突、唐辛子

3 じん　陣　尋　尽

- 軍隊の配置　例…陣地、円陣、出陣
- たずねる　例…尋問
- つくす。つきてなくなる　例…尽力、無尽蔵

4 ふ　振る　踏む　殖える

- 大きく動かす　例…腕を振る
- 足でふむ。ふみつける　例…ブレーキを踏む
- 金銭などがふえる　例…資産が殖える

5 よう　謡　溶　踊

- うたう　例…謡曲、童謡
- とける。とかす　例…溶接、水溶液
- おどる。とびあがる　例…舞踊

6 かい　壊　皆　介

- こわれる。くずれる　例…壊滅、決壊、全壊
- のこらず。すべて　例…皆勤、皆伝、皆無
- 間にはさまる。たすける　例…介護、介入、介抱

7 とう　踏　倒　闘

- ふむ。ふまえる　例…踏襲、未踏
- たおれる。たおす　例…倒立、卒倒
- たたかう　例…闘魂、熱闘

8 ち　致　遅　恥

- いたらせる　例…致命、誘致
- おそい。のろい　例…遅延、巧遅
- はじる。はじ　例…恥辱、無恥

9 つ　就く　継ぐ　尽きる

- 仕事や任務につく　例…仕事に就く
- うけつぐ　例…家業を継ぐ
- つくす。なくなる　例…やる気が尽きる

10 れい　礼　隷　麗

- 敬うこと。社会のルール　例…礼儀、礼服、礼拝
- したがう。つく　例…奴隷、隷属
- 立派。うつくしい　例…秀麗、端麗、美麗

11 ほ　捕　舗　補

- つかまえる　例…捕獲、逮捕
- 商店。しきつめる　例…舗装、店舗
- おぎなう　例…補欠、候補

12 ぼう　帽　傍　冒

- ぼうし　例…帽子、脱帽
- そば。わき　例…傍観、路傍
- おかす。無理にやる　例…冒頭、冒険

13 けん　堅　兼　圏

- かたい。しっかりしている　例…堅調、中堅
- かねる　例…兼任、兼務
- かぎられた区域　例…圏外、大気圏

14 しゅう　執　就　襲

- とりおこなう。こだわる　例…執着、固執
- 仕事や任務につく　例…就職、去就
- おそいかかる　例…襲来、強襲

15 し　刺　旨　雌

- 突きさす。なふだ　例…刺客、名刺
- 考え。意向。うまい　例…要旨、趣旨
- メス　例…雌雄、雌伏

16 きょ　挙　巨　拠

- 下から上へあげる　例…挙手、列挙
- 大きい。たくさん　例…巨大、巨人、巨額
- たよる。よりどころ　例…拠点、根拠

17 さ　刺す　避ける　去る

- 突きさす　例…ナイフで刺す
- さける。よける　例…日差しを避ける
- ゆく。たちさる　例…嵐が去る

18 さい　載　彩　歳

- 車や船に積む。印刷物にのせる　例…積載、記載
- いろどる。色をつける　例…彩色、精彩
- とし。つきひ。年月　例…歳月、歳時

苦手克服！漢字識別の攻略法

●秘伝！ 二字熟語の語彙力勝負。訓読みに注意！●

漢字識別は「3つの熟語に共通する漢字」を答えるクイズのような問題。
必要なのは語彙力。漢字と二字熟語を覚える正攻法で挑もう。
試験では5つの選択肢の漢字をすばやくあてはめて、記号で答える。
あてはめるときは、次のような落とし穴に注意！

要注意の選択肢
①最初の1つだけ成り立つ 例…圧□・短□・□尺
②訓読みで成立する選択肢 例…□折・胸□・背□

圧力が成り立つから、力？
→× 短力、力尺は成立しない
答えは縮

骨折、胸骨は OK。
背コツってあったっけ？
→訓読み「せぼね」が成立する

よく出る漢字識別ベスト40

番号	答え	問題
1	露	□出・吐□・朝□
2	避	退□・□暑・逃□
3	惑	迷□・困□・□星
4	腕	豪□・□前・手□
5	範	規□・□囲・師□
6	惨	悲□・□劇・□事
7	戯	□曲・遊□・□画
8	弾	□力・爆□・連□
9	瞬	一□・□間・□発力
10	与	授□・給□・□党
11	載	連□・記□・積□
12	紋	指□・波□・□章
13	盤	終□・基□・吸□
14	妙	奇□・微□・□案
15	殿	□様・神□・□堂
16	烈	猛□・鮮□・□火
17	違	相□・□反・□和感
18	漫	□画・散□・□遊
19	迷	□走・□信・混□
20	黙	□認・□秘・暗□
21	鑑	図□・□定・印□
22	怒	□号・□声・喜□
23	珍	□味・□品・□客
24	依	□頼・□存・□拠
25	鋭	□利・□敏・精□
26	儀	□礼・行□・□式
27	威	猛□・権□・□圧
28	猛	□烈・□暑・□獣
29	拍	脈□・□手・□子
30	汚	□名・□濁・□点
31	脂	樹□・□肪・□汗
32	突	追□・□起・唐□
33	殖	繁□・利□・養□
34	率	確□・□先・引□
35	占	□拠・□領・独□
36	腐	□敗・豆□・防□剤
37	忙	多□・□殺・繁□
38	凡	□人・非□・平□
39	丈	気□・□夫・背□
40	斜	□線・□面・傾□

苦手克服！熟語の構成の攻略法

●秘伝！ 見分けるメソッドを使えば簡単●

熟語をつくる2つの漢字の関係性を答える問題。
選択肢には、以下の5つがある。

ア　同じ意味　例…価値、温暖、停止
イ　反対の意味　例…苦楽、長短、紅白
ウ　上の字が下の字を修飾　例…洋画（洋風の絵画）、古城（古い城）
エ　下の字から上の字に返って読むと意味がよくわかる　例…消火（火を消す）、閉店（店を閉める）
オ　上の字が下の字を打ち消す　例…未熟（熟していない）、不眠（眠れない）

「●△」
→●は△を説明するよ
●のような△

「●△」→△を●する
と読むと意味が通じるよ

わかりやすいのはオの打ち消し。「無」「不」「未」で始まることが多い。

また、アとイは熟語の種類が少なく、出やすい問題が決まっているので見つけやすい。

要注意はウとエ。上のフキダシにある見分け方を覚えよう。

エの熟語は後ろに「する」をつけると、動詞になることが多いよ。×洋画する→ウ　○消火する→エ

よく出る熟語の構成ベスト100

ア　同じ意味

1	2	3	4	5	6	7	8	9	10	11	12	13	14	15	16	17	18	19	20
平凡	新鮮	休暇	遊戯	光輝	歌謡	恩恵	堅固	鋭敏	乾燥	詳細	皮膚	増殖	繁茂	違反	歓喜	比較	到達	巡回	運搬

イ　反対の意味

21	22	23	24	25	26	27	28	29	30	31	32	33	34	35	36	37	38	39	40
送迎	優劣	濃淡	首尾	存亡	経緯	賞罰	利害	栄枯	功罪	陰陽	着脱	因果	清濁	師弟	雌雄	是非	遅速	干満	興亡

ウ　上の字が修飾「上っぽい下」

41	42	43	44	45	46	47	48	49	50	51	52	53	54	55	56	57	58	59	60
遠征	直訴	砂丘	安眠	帰途	波紋	曇天	空欄	後輩	鈍痛	盛況	握力	瞬間	路傍	秀作	弾力	荒野	妙案	珍事	微量

エ　下→上で読む「下を上する」

61	62	63	64	65	66	67	68	69	70	71	72	73	74	75	76	77	78	79	80
禁煙	製菓	仰天	尽力	更衣	遅刻	絶縁	起稿	求婚	拡幅	配慮	拍手	起床	退陣	乾杯	耐火	抜歯	失脚	越権	調髪

オ　上が下を打ち消す「下ではない」

81	82	83	84	85	86	87	88	89	90	91	92	93	94	95	96	97	98	99	100
無恥	無尽	不惑	未完	未熟	未踏	未婚	不眠	不屈	不朽	無為	不順	未詳	不振	未納	不問	未到	未刊	不沈	不詳

苦手克服！部首の攻略法

●秘伝！ 出やすい漢字だけを覚える！●

部首は、漢字をグループ分けするために使われる共通のパーツのこと。
4級では次のような、ひと目でわかりにくい部首が出題されやすい。

- **①漢字のパーツが複雑なもの** 例…盾、曇、柔（上下で分かれる）、術、街（3つに分かれる）
- **②部首の形が漢字から読み取りにくいもの** 例…我（部首は戈）、朱（部首は木）など
- **③それ1字で部首になるもの** 例…鬼、玄など

配点は10点と少なく、選択式なので、深入りは禁物。
よく出る漢字の部首を丸暗記したら、他の分野の対策をする方が効率的。

よく出る部首ベスト60

番号	漢字	部首	部首名
1	殿	殳	るまた
2	衛	行	ぎょうがまえ
3	扇	戸	とだれ
4	隷	隶	れいづくり
5	再	冂	どうがまえ
6	奥	大	だい
7	項	頁	おおがい
8	盾	目	め
9	彩	彡	さんづくり
10	罰	罒	あみがしら
11	壱	士	さむらい
12	術	行	ぎょうがまえ
13	朱	木	き
14	競	立	たつ
15	鬼	鬼	おに
16	趣	走	そうにょう
17	圏	囗	くにがまえ
18	突	穴	あなかんむり
19	箇	⺮	たけかんむり
20	玄	玄	げん
21	療	疒	やまいだれ
22	戒	戈	ほこづくり
23	尾	尸	しかばね
24	歳	止	とめる
25	街	行	ぎょうがまえ
26	柔	木	き
27	床	广	まだれ
28	透	辶	しんにょう
29	裁	衣	ころも
30	曇	日	ひ
31	舞	舛	まいあし
32	我	戈	ほこづくり
33	痛	疒	やまいだれ
34	誉	言	げん
35	影	彡	さんづくり
36	舟	舟	ふね
37	輩	車	くるま
38	畳	田	た
39	軒	車	くるまへん
40	甘	甘	あまい
41	疲	疒	やまいだれ
42	倒	亻	にんべん
43	需	⻗	あめかんむり
44	斜	斗	とます
45	雌	隹	ふるとり
46	至	至	いたる
47	釈	釆	のごめへん
48	翼	羽	はね
49	御	彳	ぎょうにんべん
50	途	辶	しんにょう
51	窓	穴	あなかんむり
52	吹	口	くちへん
53	委	女	おんな
54	賦	貝	かいへん
55	範	⺮	たけかんむり
56	含	口	くち
57	監	皿	さら
58	老	耂	おいかんむり
59	雄	隹	ふるとり
60	烈	灬	れんが

苦手克服！対義語・類義語の攻略法

●秘伝！ 暗記のコツは、後ろに言葉を続けてみる！●

**意味が反対の熟語（対義語）や、意味が似た熟語（類義語）のうち
1字を書く問題。4級では「縦糸」「横糸」のようにひと目で対応関係が分かるものは少ない。
覚えるコツは、ペアとなる語を暗記すること。
以下のポイントを押さえて、効率的に対策しよう。**

①よく出る問題を覚える
→4級では出題される熟語の種類は少ない。よく出る熟語を覚えるのが効率的。
②後ろに言葉をつけよう。例文にして意味を覚えやすくする
例…冷淡な人⇔親切な人（対義語）、互角に戦う＝対等に戦う（類義語）

下のリストを使い、自分で言葉を補って、印象をつけて覚えよう。

よく出る対義語ベスト45

1	閉鎖	⇕	開放
2	永眠	⇕	誕生
3	停泊	⇕	航行
4	詳細	⇕	大要
5	簡略	⇕	繁雑
6	継続	⇕	中止
7	悲鳴	⇕	歓声
8	臨時	⇕	定期
9	冷淡	⇕	親切
10	末尾	⇕	冒頭
11	留守	⇕	在宅
12	好調	⇕	不振
13	原則	⇕	例外
14	濃密	⇕	希薄
15	低俗	⇕	高雅
16	凶暴	⇕	温和
17	借用	⇕	返却
18	却下	⇕	受理
19	陽性	⇕	陰性
20	歳末	⇕	年頭
21	直面	⇕	回避
22	単純	⇕	複雑
23	貯蓄	⇕	消費
24	参加	⇕	離脱
25	断絶	⇕	存続
26	丈夫	⇕	病弱
27	加盟	⇕	脱退
28	断念	⇕	執着
29	納入	⇕	徴収
30	浮遊	⇕	沈殿
31	就寝	⇕	起床
32	白昼	⇕	深夜
33	優良	⇕	劣悪
34	供給	⇕	需要
35	与党	⇕	野党
36	遠洋	⇕	近海
37	清流	⇕	濁流
38	追跡	⇕	逃走
39	保留	⇕	決定
40	革新	⇕	保守
41	豊作	⇕	凶作
42	軽率	⇕	慎重
43	円満	⇕	不和
44	近隣	⇕	遠方
45	相違	⇕	一致

よく出る類義語ベスト60

1 互角≒対等
2 丈夫≒健康
3 弁解≒釈明
4 努力≒精進
5 親類≒縁者
6 真剣≒本気
7 警戒≒用心
8 富豪≒長者
9 独占≒専有
10 匹敵≒同等
11 責務≒使命
12 応援≒加勢
13 獲得≒入手
14 突然≒不意
15 服従≒隷属

16 他界≒永眠
17 堅実≒地道
18 完治≒全快
19 基盤≒根底
20 合格≒及第
21 綿密≒周到
22 比較≒対照
23 根拠≒理由
24 皮肉≒風刺
25 貯蔵≒備蓄
26 技量≒腕前
27 栄光≒名誉
28 混雑≒雑踏
29 巨木≒大樹
30 追憶≒回想

31 早速≒即刻
32 将来≒前途
33 模範≒手本
34 輸送≒運搬
35 冒頭≒最初
36 結束≒団結
37 思案≒考慮
38 路傍≒道端
39 興奮≒熱狂
40 困惑≒閉口
41 黙殺≒無視
42 難儀≒苦労
43 尋常≒普通
44 是非≒可否
45 準備≒支度

46 防御≒守備
47 承認≒許可
48 周辺≒近隣
49 永遠≒不朽
50 変更≒改定
51 素質≒天性
52 抜群≒屈指
53 介抱≒看護
54 団結≒結束
55 恒久≒永遠
56 逆襲≒反撃
57 許可≒容認
58 筋道≒脈絡
59 入念≒周到
60 薄情≒冷淡

苦手克服！送りがなの攻略法

●秘伝！ よく出る「例外」だけチェック！●

送りがなは、漢字を読みやすいようにつけるひらがな。
以下のルールがある。漢検4級では例外が問われやすい。例外を中心に覚えよう。

【原則】①読みが複数あるときは、その読み分けができるようにつける
例…起きる一起こす、当てる一当たる、染まる一染める
②「活用語尾」から送る
（例：走らない、走ります、走る→「はし」の後の読みが変わる部分からつける）
【例外】①「しい」で終わる形容詞はしいを送る　例…楽しい、新しい
②「か」「やか」「らか」はひらがなにする　例…細やか、明らか、安らか
③単語ごとに覚えるしかないもの　例…危ない、勤める、確かめる

よく出る送りがなベスト60

1	ナヤマシイ問題。	悩ましい
2	スグレた成績。	優れ
3	虫がムラガル。	群がる
4	花びらをチラス。	散らす
5	上位をアラソウ。	争う
6	部屋がキタナイ。	汚い
7	光がカガヤク。	輝く
8	仕切りをモウケル。	設ける
9	月がミチル。	満ちる
10	座席をタシカメル。	確かめる
11	子どもをサズカル。	授かる
12	水を口にフクム。	含む
13	神仏をオガム。	拝む
14	得点にオドロイた。	驚い
15	二位にアマンジル。	甘んじる
16	桜のサカリだ。	盛り
17	不足をオギナッた。	補っ
18	栄養をアタエル。	与える
19	月光をアビル。	浴びる
20	魚をクサラス。	腐らす
21	指示にシタガウ。	従う
22	毛がチヂレル。	縮れる
23	期限がスギル。	過ぎる
24	赤みをオビル。	帯びる
25	タノモシイ味方。	頼もしい
26	野菜をキザム。	刻む
27	声をカラス。	枯らす
28	花をソナエル。	供える
29	人をサバク。	裁く
30	親にアヤマル。	謝る
31	精魂尽きハテル。	果てる
32	財布をヌスマれる。	盗ま
33	衣服がミダレル。	乱れる
34	山がツラナル。	連なる
35	仲間をヒキイル。	率いる
36	力がソナワル。	備わる
37	名物をアジワウ。	味わう
38	アザヤカナ赤色。	鮮やかな
39	オサナイ妹。	幼い
40	木がクチル。	朽ちる
41	目標をウシナウ。	失う
42	心にヒビイた。	響い
43	光がスケル。	透ける
44	無知をハジル。	恥じる
45	影響がオヨブ。	及ぶ
46	目がサメル。	覚める
47	主張をウッタエル。	訴える
48	荷物をヘラス。	減らす
49	馬がコエル。	肥える
50	クワシイ説明。	詳しい
51	ヤスラカナ寝息。	安らかな
52	我をワスレル。	忘れる
53	未来をウラナウ。	占う
54	店をカマエル。	構える
55	志をイダク。	抱く
56	城をキズク。	築く
57	事実にモトヅク。	基づく
58	混雑をサケル。	避ける
59	コノマシイ人物。	好ましい
60	とげがササル。	刺さる

苦手克服！誤字訂正の攻略法

●秘伝！ 二字熟語の語彙力を高めよう●

文章の中の間違いを見つけて、正しい字を書く問題。
正しい熟語の知識が問われている。押さえておくポイントは以下の通り。

①二字熟語の中に誤字が含まれる場合が多い

②誤字のパターンは次の3パターン

- 同じ音読みの漢字 例 ×補存 → ○保存
- 形が似ている漢字 例 ×往複 → ○往復
- 意味の使い分けの知識が必要 例 ×音楽観賞 → ○音楽鑑賞（観賞は見て楽しむもの）

対策には語彙力をきたえるしかない。漢字と共に二字熟語を覚えよう！
「対義語・類義語」「漢字識別」の対策にもなる。

よく出る誤字訂正ベスト45

	誤	正
1	進典	進展
2	検当	検討
3	屈志	屈指
4	点件	点検
5	健造	建造
6	回定	改定
7	即定	測定
8	保修	補修
9	真刻	深刻
10	経財	経済
11	状帯	状態
12	解発	開発
13	紫害線	紫外線
14	獲特	獲得
15	恒礼	恒例
16	捕存	保存
17	賛加	参加
18	改格	改革
19	当録	登録
20	巡延	順延
21	機模	規模
22	観行	観光
23	栄業	営業
24	制備	整備
25	評明	表明
26	急済	救済
27	発期	発揮
28	範位	範囲
29	希待	期待
30	利弁性	利便性
31	働入	導入
32	仕持	支持
33	仕育	飼育
34	留通	流通
35	制厳	制限
36	使野	視野
37	方信	方針
38	宣念	専念
39	価確	価格
40	対作	対策
41	集益	収益
42	余算	予算
43	訓連	訓練
44	限少	減少
45	非較的	比較的

苦手克服！ 四字熟語の攻略法

●秘伝！ 故事成語は由来も覚えよう●

四字熟語の中の1字を漢字で書く問題。出題される熟語には次の2種がある。

①単に二字熟語を組み合わせたもの　例 名所旧跡　名所＋旧跡

②故事成語（昔の出来事やことわざをもとに作られたもの）

例 油断大敵　昔、とある王様が家臣に対し「油を入れた器を持って歩くよう」命じ、油が少しでもこぼれたときには処刑すると告げたという話から（諸説あり）

4級で出題されるのは、②がほとんど。漢字の並びだけでは、意味が結びつかず覚えにくい。その由来もチェックしておこう！

また、難しくしすぎないためか、空欄に書き入れる漢字は5級以下の簡単な字が多い。

よく出る四字熟語ベスト75

1	真《しん》剣《けん》勝《しょう》負《ぶ》	本気で勝ち負けを争って、勝者を決定すること
2	金《きん》科《か》玉《ぎょく》条《じょう》	いちばん大切な決まりや法律
3	五《ご》里《り》霧《む》中《ちゅう》	物事の手がかりをつかめず困惑すること
4	現《げん》状《じょう》維《い》持《じ》	現在の状況や状態、情勢などをそのまま変えずにおくこと
5	牛《ぎゅう》飲《いん》馬《ば》食《しょく》	大いに飲み食いをすること
6	頭《ず》寒《かん》足《そく》熱《ねつ》	頭を冷やし、足を暖めること
7	起《き》承《しょう》転《てん》結《けつ》	漢詩の絶句を組み立てる型。転じて、物事の順序・作法
8	故《こ》事《じ》来《らい》歴《れき》	物事の由来や歴史
9	名《めい》所《しょ》旧《きゅう》跡《せき》	美しい景色や由緒ある場所のこと
10	付《ふ》和《わ》雷《らい》同《どう》	しっかりした考えがなく、むやみに他人の意見に同調すること
11	豊《ほう》年《ねん》満《まん》作《さく》	稲などの作物が豊かに実り、収穫の非常に多いこと
12	玉《ぎょく》石《せき》混《こん》交《こう》	優れたものと劣ったものがまじっていること
13	一《いち》網《もう》打《だ》尽《じん》	ひとまとめに悪人を捕らえるたとえ
14	電《でん》光《こう》石《せっ》火《か》	動作などが非常にすばやいこと
15	思《し》慮《りょ》分《ふん》別《べつ》	深く考えて判断すること
16	青《せい》天《てん》白《はく》日《じつ》	心にやましい所が全くないこと。また、無罪だと明らかになること
17	同《どう》工《こう》異《い》曲《きょく》	見かけは違うが中身は似ている様子
18	天《てん》災《ぺん》地《ち》変《い》	自然界に起こるさまざまな災い
19	時《じ》節《せつ》到《とう》来《らい》	一番いいころあいが来たということ
20	汚《お》名《めい》返《へん》上《じょう》	悪い評判をしりぞけること
21	自《じ》給《きゅう》自《じ》足《そく》	自分の力で、衣食住すべてをまかなうこと
22	七《しち》難《なん》八《はっ》苦《く》	ありとあらゆる苦しみや災難
23	絶《ぜっ》体《たい》絶《ぜつ》命《めい》	どうしても逃れられない困難な場合・立場
24	是《ぜ》非《ひ》善《ぜん》悪《あく》	物事の善しあし
25	有《う》為《い》転《てん》変《ぺん》	この世がはかないことのたとえ
26	古《こ》今《こん》東《とう》西《ざい》	いつでもどこでも
27	疑《ぎ》心《しん》暗《あん》鬼《き》	疑いのあまり、なんでも不安に思うこと
28	危《き》機《き》一《いっ》髪《ぱつ》	危険とすれすれの状態
29	縦《じゅう》横《おう》無《む》尽《じん》	思う存分ふるまう様子
30	二《に》束《そく》三《さん》文《もん》	売値が非常に安いこと

31 半《はん》信《しん》半《はん》疑《ぎ》
半分信じて半分疑っている状態

32 奇《き》想《そう》天《てん》外《がい》
普通では思いもよらない奇抜なこと。またそのさま

33 青《あお》息《いき》吐《と》息《いき》
非常に困ったり苦しんだりする状態

34 興《きょう》味《み》本《ほん》位《い》
おもしろいかどうかだけを判断基準にする傾向

35 狂《きょう》喜《き》乱《らん》舞《ぶ》
踊り上がるほど大喜びする様子

36 信《しん》賞《しょう》必《ひつ》罰《ばつ》
厳格に賞罰を行うこと

37 議《ぎ》論《ろん》百《ひゃく》出《しゅつ》
いろいろに議論が戦わされること。さまざまな意見が出ること

38 不《ふ》眠《みん》不《ふ》休《きゅう》
眠ったり休んだりしないこと

39 博《はく》覧《らん》強《きょう》記《き》
書物に親しみ知識が豊富なこと

40 問《もん》答《どう》無《む》用《よう》
あれこれ議論してもなんの利益もないこと

41 驚《きょう》天《てん》動《どう》地《ち》
世間を大いに驚かせること

42 有《ゆう》名《めい》無《む》実《じつ》
評判と比べて中身が伴わないこと

43 八《はっ》方《ぽう》美《び》人《じん》
だれからも悪く思われないように、要領よく人とつきあってゆく人

44 論《ろん》旨《し》明《めい》快《かい》
議論の要点がわかりやすいこと

45 一《いっ》刻《こく》千《せん》金《きん》
わずかな時間でも貴重であるということ

46 沈《ちん》思《し》黙《もっ》考《こう》
だまって深く考えこむこと

47 無《む》味《み》乾《かん》燥《そう》
味わいやおもしろみに欠けること

48 美《び》辞《じ》麗《れい》句《く》
うわべを飾り立てた、内容のない言葉

49 私《し》利《り》私《し》欲《よく》
自分の利益や、自分の欲求を満たすことだけを考えて行動すること

50 薄《はく》利《り》多《た》売《ばい》
少ない利益で品物を多く売る商法

51 人《じん》面《めん》獣《じゅう》心《しん》
思いやりがなく恩義を知らない人

52 完《かん》全《ぜん》無《む》欠《けつ》
欠点や不足がまったくないさま。完ぺきなさま

53 一《いっ》進《しん》一《いっ》退《たい》
進んだりあともどりしたりすること。また、よくなったり悪くなったりすること

54 容《よう》姿《し》端《たん》麗《れい》
顔立ちや体つきが整って美しいこと

55 品《ひん》行《こう》方《ほう》正《せい》
行いがきちんとしていること

56 一《いっ》心《しん》不《ふ》乱《らん》
一つの事に集中して、他の事のために心の乱れることがないこと

57 大《たい》器《き》晩《ばん》成《せい》
大きな器は完成までに時間がかかることから、偉大な人物も大成するのが遅いこと

58 平《へい》身《しん》低《てい》頭《とう》
ひれふして頭を低くさげ、恐れ入ること

59 悪《あく》戦《せん》苦《く》闘《とう》
困難の中で必死に努力すること

60 老《ろう》成《せい》円《えん》熟《じゅく》
経験が豊富で、人格や技能が十分に熟練していること

61 不《ふ》言《げん》実《じっ》行《こう》
あれこれ言わず、黙ってなすべきことを実行すること

62 意《い》気《き》消《しょう》沈《ちん》
元気を失いしょげてしまうこと

63 門《もん》外《がい》不《ふ》出《しゅつ》
秘蔵して、その家の門から外には出さないこと

64 七《なな》転《ころび》八《や》起《おき》
失敗しても力を落とさず、たちあがって奮闘すること

65 創《そう》意《い》工《く》夫《ふう》
従来にない新しい考えや手段を考えること

66 不《ふ》可《か》抗《こう》力《りょく》
どうすることもできないこと

67 一《いっ》触《しょく》即《そく》発《はつ》
危険な状態に直面していること

68 意《い》志《し》薄《はく》弱《じゃく》
意志が弱く決断できない様子

69 弱《じゃく》肉《にく》強《きょう》食《しょく》
弱い者が強い者のえじきになること

70 力《りき》戦《せん》奮《ふん》闘《とう》
力の限り努力すること

71 単《たん》刀《とう》直《ちょく》入《にゅう》
前置き抜きにいきなり本題に入る

72 七《しち》転《てん》八《ばっ》倒《とう》
苦しみもだえて転げ回ること

73 離《り》合《ごう》集《しゅう》散《さん》
別れたりいっしょになったりすること

74 門《もん》戸《こ》開《かい》放《ほう》
制約を取り払って、出入りを自由にすること

75 名《めい》実《じつ》一《いっ》体《たい》
評判と実際が一致していること

苦手克服！ 書き取り の攻略法

●秘伝！ 訓読みを得点源にする。書き間違いに要注意●

目標8割！

カタカナを漢字に直す問題。読みと同様に音読みと訓読みがバランスよく出される。
つまり、訓読みがくり返し出やすいのも同じ。まず「よく出る訓読み」から覚えよう。
書き取りは他の問題に比べて正答率が低い。
突き出す場所などの漢字の細かな部分のミスが減点されていることが原因。
解答をよく見て、お手本とちがっている部分がないかチェックしよう。
自分のクセには気づきにくいので、家族や友達に採点してもらうのもひとつの方法。

よく出る書き取りベスト125

1 進路を**ナヤ**む。
2 **イサ**ましい歌。
3 **ヤサ**しい笑顔。
4 敵陣に**トツニュウ**する。
5 **アクシュ**をかわす。
6 書類を**ワタ**す。
7 畑が**ア**らされる。
8 **センド**の良い魚。
9 六時に**キショウ**する。
10 **キョダイ**な鳥。
11 布を**カワ**かす。
12 窓に**スイテキ**がつく。
13 **コウスイ**のにおい。
14 予想を**ウラギ**る。
15 **キビ**しくしつける。
16 服を**ヨゴ**す。
17 ていねいに**アツカ**う。
18 神社の**ケイダイ**。

悩　勇　優　突入　握手　渡　荒　鮮度　起床　巨大　乾　水滴　香水　裏切　厳　汚　扱　境内

19 **センパイ**が指導する。
20 包囲網を**ヤブ**る。
21 **キワ**めて元気だ。
22 **サキュウ**が続く。
23 **シンセン**な食材。
24 名画を**モシャ**する。
25 **ハナ**し飼いにする。
26 晴天に**メグ**まれる。
27 時間に**チコク**した。
28 **アクリョク**が強い。
29 羊が**ム**れている。
30 波が岸に**ヨ**せる。
31 **ゲンマイ**食にする。
32 **フツウ**電車に乗る。
33 **ワ**り算で計算する。
34 **ライウ**で中止になる。
35 **レンアイ**結婚だった。
36 体が**ジョウブ**だ。

先輩　破　極　砂丘　新鮮　模写　放　恵　遅刻　握力　群　寄　玄米　普通　割　雷雨　恋愛　丈夫

37 **ワクセイ**を観測する。
38 **ヒミツ**をもらさない。
39 返事を**ホリュウ**する。
40 念を**オ**す。
41 **サケ**び声を上げる。
42 **カタグルマ**する。
43 朝食を**ヌ**く。
44 運勢を**ウラナ**う。
45 **シンライ**が厚い。
46 子犬が**ニ**げた。
47 子犬を**ツカ**まえた。
48 親を**アマ**やかす。
49 庭に花が**サ**く。
50 **カンキョウ**保全。
51 **スルド**い質問。
52 運動で**ツカ**れた。
53 **ヘイボン**な成績。
54 商品を**ハンバイ**する。

惑星　秘密　保留　押　叫　肩車　抜　占　信頼　逃　捕　甘　咲　環境　鋭　疲　平凡　販売

55 **タボウ**な毎日。
56 赤**オニ**を退治する。
57 **ユウシュウ**な成績。
58 **ワタユキ**が降る。
59 大きな**ブタイ**に立つ。
60 目が回る**イソガ**しさ。
61 **イカ**りを覚える。
62 紅葉**ガ**りをする。
63 食事を**メ**し上がる。
64 街路樹が**カ**れる。
65 湯**ケムリ**が上る。
66 耳を**ス**ます。
67 来月**ゲジュン**に会う。
68 **カガヤ**く未来。
69 二人は**コンヤク**した。
70 **ウツワ**に盛る。
71 調子が**クル**う。
72 犯人を**サバ**く。

多忙	鬼	優秀	綿雪	舞台	忙	怒	狩	召	枯	煙	澄	下旬	輝	婚約	器	狂	裁

73 **イッパン**向け商品。
74 **オキ**まで流される。
75 首位に**フジョウ**した。
76 難民を**シエン**する。
77 **シュクフク**する。
78 **ムチュウ**で勉強する。
79 **キンベン**に働く。
80 **トチュウ**で席を立つ。
81 胸に**カカ**える。
82 **ハリ**でさした。
83 虫に**サ**される。
84 **ニブ**い音がした。
85 **ネツレツ**に歓迎する。
86 せまい**ハバ**を通る。
87 視野を**セバ**める。
88 金属の**コウタク**。
89 **ヒカク**検討する。
90 **メズラ**しい果物。

一般	沖	浮上	支援	祝福	夢中	勤勉	途中	抱	針	刺	鈍	熱烈	幅	狭	光沢	比較	珍

91 太い**クダ**を通す。
92 **ケイシャ**を上る。
93 お金を**アズ**ける。
94 **キョタイ**をゆらす。
95 **アセ**ばむ陽気。
96 **スイサイガ**を描く。
97 **エンソウ**を楽しむ。
98 **ヌマ**が深い。
99 **ナミダ**があふれる。
100 取り**ノゾ**く。
101 **ノウム**で見えない。
102 明るい**シキサイ**。
103 宙に**ウ**く。
104 菌が**ゾウショク**する。
105 駅が**コンザツ**する。
106 国に**ノウゼイ**する。
107 **セイエン**を送る。
108 **アマクチ**のたれ。

管	傾斜	預	巨体	汗	水彩画	演奏	沼	涙	除	濃霧	色彩	浮	増殖	混雑	納税	声援	甘口

109 **トウメイ**な水。
110 無罪を**センコク**した。
111 **イズミ**から水がわく。
112 選手を**オウエン**する。
113 冷たい**カンショク**。
114 **ヨクバ**って食べる。
115 偉人が**エイミン**した。
116 美しい**ケシキ**を撮る。
117 おみくじは**キョウ**だった。
118 海外へ**ダッシュツ**する。
119 光を**クッセツ**させる。
120 太い木の**ミキ**。
121 **トウゲ**を越えた。
122 **ミョウ**な話を聞く。
123 **カドデ**を見送る。
124 水が**ニゴ**る。
125 **ゴウカイ**に笑い飛ばす。

透明	宣告	泉	応援	感触	欲張	永眠	景色	凶	脱出	屈折	幹	峠	妙	門出	濁	豪快

※「漢字検定」「漢検」は、公益財団法人 日本漢字能力検定協会の登録商標です。

※受検をお考えの方は、必ずご自身で公益財団法人 日本漢字能力検定協会の発表する最新情報をご確認ください。
ホームページ：https://www.kanken.or.jp/kanken/
【試験に関する問い合わせ】
・ホームページ(問い合わせフォーム)：https://www.kanken.or.jp/kanken/contact/
・電話：0120-509-315

漢検4級〔書き込み式〕問題集

編　者　資格試験対策研究会
発行者　清水美成
編集者　梅野浩太
発行所　株式会社 高橋書店
〒170-6014 東京都豊島区東池袋3-1-1 サンシャイン60 14階
電話　03-5957-7103
ISBN978-4-471-27569-3

本書の内容についてのご質問は「書名、質問事項(ページ、内容)、お客様のご連絡先」を明記のうえ、郵送、FAX、ホームページお問い合わせフォームから小社へお送りください。

回答にはお時間をいただく場合がございます。また、電話によるお問い合わせ、本書の内容を超えたご質問にはお答えできませんので、ご了承ください。本書に関する正誤等の情報は、小社ホームページもご参照ください。

【内容についての問い合わせ先】
書　面　〒170-6014 東京都豊島区東池袋3-1-1 サンシャイン60 14階　高橋書店編集部
F A X　03-5957-7079
メール　小社ホームページお問い合わせフォームから　(https://www.takahashishoten.co.jp/)

【不良品についての問い合わせ先】

ページの順序間違い・抜けなど物理的欠陥がございましたら、電話03-5957-7076へお問い合わせください。

ただし、古書店等で購入・入手された商品の交換には一切応じられません。

漢検4級〔書き込み式〕問題集

新出漢字表＆別冊解答

新出漢字表 & 別冊解答の使い方

☑ **まちがえた問題にチェックを入れよう**

「復習して、次にまちがえないこと」が合格への近道。

スマホで問題の写真を撮って見直したり、クイズにして友達に出したり、何度も思い出せる工夫をして記憶に残そう。

☑ **覚えていなかった漢字は、新出漢字表で確認しよう**

何回か書いて覚えると、記憶に残りやすく効果的。

☑ **分野ごとに得点を出して、採点表に書き込もう**

何回か続けていくことで、自分の弱点が見えてくる！

☑ **弱点分野は、本冊 P.115～の巻末資料で　集中対策しよう**

分野別攻略法 &よく出る問題リストを読めば、得点力 UP！

※解答は漢検の採点基準に基づいた標準解答です。別解が認められる場合があります。

4級新出漢字表

漢字表の見方

読み
・音読み…カタカナ
・訓読み…ひらがな
・送り仮名は細字
・⾼つきの読み…高校で習う読み
よく出る熟語

部首

※部首の名称は代表的なものを掲載しています。

漢字	読み	熟語	部首
握	アク／にぎる	握手　握力	てへん
扱	あつかう	取り扱い	てへん
依	イ　⾼エ	依然　依頼	イ にんべん
威	イ	威儀　示威	女 おんな
為	イ	為政者　作為	灬 れんが
偉	イ　えらい	偉人　偉業	イ にんべん
違	イ　ちがう　ちがえる	違反　相違	辶 しんにょう
維	イ	維持　維新	糸 いとへん
緯	イ	経緯　北緯	糸 いとへん
壱	イチ	壱万円	士 さむらい
芋	いも	芋版　里芋	艹 くさかんむり
汚	オ　けがす　けがれる　けがらわしい　よごす　よごれる　きたない	汚染　汚名	シ さんずい
縁	エン　ふち	縁日　額縁	糸 いとへん
鉛	エン　なまり	鉛筆　黒鉛	金 かねへん
煙	エン　けむる　けむり　けむい	煙突　砂煙	火 ひへん
援	エン	援助　救援	てへん
越	エツ　こす　こえる	越境　越権	走 そうにょう
鋭	エイ　するどい	鋭敏　精鋭	金 かねへん
影	エイ　かげ	陰影　面影	彡 さんづくり
隠	イン　かくす　かくれる	隠居　隠語	阝 こざとへん
陰	イン　かげ　かげる	陰陽　木陰	阝 こざとへん
獲	カク　える	獲物　捕獲	犭 けものへん
較	カク	比較	車 くるまへん
壊	カイ　こわす　こわれる	決壊　破壊	土 つちへん
皆	カイ　みな	皆勤　皆無	白 しろ
戒	カイ　いましめる	戒心　警戒	戈 ほこづくり
介	カイ	介抱　紹介	人 ひとやね
雅	ガ	雅楽　優雅	隹 ふるとり
箇	カ	箇所　箇条	竹 たけかんむり
暇	カ　ひま	寸暇　余暇	日 ひへん
菓	カ	茶菓　製菓	艹 くさかんむり
憶	オク	憶測　追憶	忄 りっしんべん
奥	オウ　おく	奥義　奥底	大 だい
押	オウ　おす　おさえる	押印　押収	てへん
鬼	キ　おに	鬼才　赤鬼	鬼 おに
祈	キ　いのる	祈願　祈念	ネ しめすへん
奇	キ	奇異　数奇	大 だい
含	ガン　ふくむ　ふくめる	含蓄　含有	口 くち
鑑	カン　⾼かんがみる	鑑賞　鑑定	金 かねへん
環	カン	環境　環状	王 おうへん
監	カン	監視　監修	皿 さら
歓	カン	歓喜　歓呼	欠 あくび
勧	カン　すすめる	勧告　勧賞	力 ちから
乾	カン　かわく　かわかす	乾燥　乾杯	乙 おつ
汗	カン　あせ	汗顔　寝汗	シ さんずい
甘	カン　あまい　あまえる　あまやかす	甘言　甘酒	甘 かん
刈	かる	稲刈り	刂 りっとう
距	キョ	距離	足 あしへん
拠	キョ　⾼コ	拠点　証拠	てへん
巨	キョ	巨大　巨木	工 え
朽	キュウ　くちる	不朽　老朽	木 きへん
丘	キュウ　おか	砂丘　段丘	一 いち
及	キュウ　およぶ　および　およぼす	及第　追及	又 また
脚	キャク　あし　⾼キャ	脚色　失脚	月 にくづき
却	キャク	却下　返却	卩 ふしづくり
詰	キツ　つめる　つまる　つむ	大詰め	言 ごんべん
戯	ギ　⾼たわむれる	戯曲　児戯	戈 ほこづくり
儀	ギ	儀式　威儀	イ にんべん
輝	キ　かがやく	輝石　光輝	車 くるま
幾	キ　いく	幾日　幾何学	幺 いとがしら

漢字	読み	用例	部首
御	ギョ ゴ おん	御殿 制御	彳《ぎょうにんべん》
凶	キョウ	凶悪 元凶	凵《うけばこ》
叫	キョウ さけぶ	叫声 絶叫	口《くちへん》
狂	キョウ くるう くるおしい	狂気 熱狂	犭《けものへん》
況	キョウ	盛況 実況	氵《さんずい》
狭	(高)キョウ せまい せばめる せばまる	狭める	犭《けものへん》
恐	キョウ おそれる おそろしい	恐怖 恐縮	心《こころ》
響	キョウ ひびく	反響 音響	音《おと》
驚	キョウ おどろく おどろかす	驚異 驚嘆	馬《うま》
仰	ギョウ コウ あおぐ (高)おおせ	仰天 信仰	亻《にんべん》
駆	ク かける かる	駆使 先駆	馬《うまへん》
屈	クツ	屈伸 退屈	尸《しかばね》
掘	クツ ほる	採掘 発掘	扌《てへん》

漢字	読み	用例	部首
繰	くる	繰り上げ	糸《いとへん》
恵	ケイ エ めぐむ	恩恵 知恵	心《こころ》
傾	ケイ かたむく かたむける	傾向 傾斜	亻《にんべん》
継	ケイ つぐ	継続 中継	糸《いとへん》
迎	ゲイ むかえる	迎合 歓迎	辶《しんにょう》
撃	ゲキ うつ	撃退 襲撃	手《て》
肩	(高)ケン かた	肩車 肩幅	肉《にく》
兼	ケン かねる	兼用 兼任	八《はち》
剣	ケン つるぎ	剣道 刀剣	刂《りっとう》
軒	ケン のき	軒数 軒先	車《くるまへん》
圏	ケン	圏外 圏内	囗《くにがまえ》
堅	ケン かたい	堅実 中堅	土《つち》
遣	ケン つかう つかわす	派遣 気遣い	辶《しんにょう》

漢字	読み	用例	部首
玄	ゲン	玄関 玄米	玄《げん》
枯	コ かれる からす	栄枯 枯死	木《きへん》
誇	コ ほこる	誇示 誇張	言《ごんべん》
鼓	コ (高)つづみ	鼓動 太鼓	鼓《つづみ》
互	ゴ たがい	互角 相互	二《に》
抗	コウ	抗議 抵抗	扌《てへん》
攻	コウ せめる	攻撃 専攻	攵《のぶん》
更	コウ さら (高)ふける (高)ふかす	更新 変更	曰《いわく》
恒	コウ	恒星 恒例	忄《りっしんべん》
荒	コウ あらい あれる あらす	荒天 荒波	艹《くさかんむり》
項	コウ	項目 要項	頁《おおがい》
稿	コウ	原稿 草稿	禾《のぎへん》
豪	ゴウ	豪雨 文豪	豕《ぶた》

漢字	読み	用例	部首
込	こむ こめる	見込み	辶《しんにょう》
婚	コン	婚約 結婚	女《おんなへん》
鎖	サ くさり	鎖国 閉鎖	金《かねへん》
彩	サイ (高)いろどる	彩色 多彩	彡《さんづくり》
歳	サイ セイ	歳月 歳暮	止《とめる》
載	サイ のせる のる	積載 連載	車《くるま》
剤	ザイ	洗剤 薬剤	刂《りっとう》
咲	さく	遅咲き	口《くちへん》
惨	サン (高)ザン (高)みじめ	惨劇 悲惨	忄《りっしんべん》
旨	シ (高)むね	趣旨 本旨	日《ひ》
伺	(高)シ うかがう	進退伺い	亻《にんべん》
刺	シ さす ささる	刺激 名刺	刂《りっとう》
脂	シ あぶら	脂肪 樹脂	月《にくづき》

漢字	読み	用例	部首
紫	シ むらさき	紫外線 紫煙	糸《いと》
雌	シ め めす	雌雄 雌花	隹《ふるとり》
執	シツ シュウ とる	執着 固執	土《つち》
芝	しば	芝居 芝生	艹《くさかんむり》
斜	シャ ななめ	斜面 傾斜	斗《とます》
煮	(高)シャ にる にえる にやす	煮物 雑煮	灬《れんが》
釈	シャク	釈明 会釈	釆《のごめへん》
寂	ジャク (高)セキ さび さびしい さびれる	静寂	宀《うかんむり》
朱	シュ	朱肉 朱色	木《き》
狩	シュ かる かり	紅葉狩り	犭《けものへん》
趣	シュ おもむき	趣向 趣意	走《そうにょう》
需	ジュ	需給 需要	雨《あめかんむり》

漢字	読み	用例	部首
舟	シュウ ふね ふな	舟航 小舟	舟《ふね》
秀	シュウ (高)ひいでる	秀才 優秀	禾《のぎ》
襲	シュウ おそう	襲撃 踏襲	衣《ころも》
柔	ジュウ ニュウ やわらか やわらかい	柔道 柔和	木《き》
獣	ジュウ けもの	獣類 猛獣	犬《いぬ》
瞬	シュン (高)またたく	瞬間 瞬時	目《めへん》
旬	ジュン シュン	旬刊 上旬	日《ひ》
巡	ジュン めぐる	巡業 巡査	巛《かわ》
盾	ジュン たて	矛盾 後ろ盾	目《め》
召	ショウ めす	召集	口《くち》
床	ショウ とこ ゆか	床下 起床	广《まだれ》
沼	(高)ショウ ぬま	沼地 湖沼	氵《さんずい》
称	ショウ	敬称 名称	禾《のぎへん》

漢字	読み	用例	部首
紹	ショウ	紹介	糸《いとへん》
詳	ショウ くわしい	詳細 未詳	言《ごんべん》
丈	ジョウ たけ	丈夫 背丈	一《いち》
畳	ジョウ たたむ たたみ	畳表 半畳	田《た》
殖	ショク ふえる ふやす	繁殖 生殖	歹《かばねへん》
飾	ショク かざる	装飾 粉飾	食《しょくへん》
触	ショク ふれる さわる	触覚 接触	角《つのへん》
侵	シン おかす	侵害 侵略	亻《にんべん》
振	シン ふる ふるう ふれる	振幅 不振	扌《てへん》
浸	シン ひたす ひたる	浸水 浸透	氵《さんずい》
寝	シン ねる ねかす	就寝 昼寝	宀《うかんむり》
慎	シン つつしむ	慎重 許慎	忄《りっしんべん》
震	シン ふるう ふるえる	震災 余震	雨《あめかんむり》

漢字	読み	用例	部首
薪	シン たきぎ	薪炭 薪水	艹《くさかんむり》
尽	ジン つくす つきる つかす	尽力 無尽蔵	尸《しかばね》
陣	ジン	円陣 出陣	阝《こざとへん》
尋	ジン たずねる	尋常 尋問	寸《すん》
吹	スイ ふく	吹奏 吹雪	口《くちへん》
是	ゼ	是認 是非	日《ひ》
姓	セイ ショウ	改姓 百姓	女《おんなへん》
征	セイ	征服 遠征	彳《ぎょうにんべん》
跡	セキ あと	遺跡 傷跡	𧾷《あしへん》
占	セン しめる うらなう	占拠 独占	卜《と》
扇	セン おうぎ	扇子 扇風機	戸《とだれ》
鮮	セン あざやか	鮮明 新鮮	魚《うおへん》
訴	ソ うったえる	訴追 起訴	言《ごんべん》

漢字	読み	用例	部首
僧	ソウ	僧院 名僧	亻《にんべん》
燥	ソウ	乾燥 高燥	火《ひへん》
騒	ソウ さわぐ	騒音 騒動	馬《うまへん》
贈	ゾウ ソウ おくる	贈答 寄贈	貝《かいへん》
即	ソク	即応 即興	卩《ふしづくり》
俗	ゾク	俗習 民俗	亻《にんべん》
耐	タイ たえる	耐久 耐熱	而《しかして》
替	タイ かえる かわる	代替 両替	曰《いわく》
沢	タク さわ	光沢 潤沢	氵《さんずい》
拓	タク	開拓 干拓	扌《てへん》
濁	ダク にごる にごす	濁音 清濁	氵《さんずい》
脱	ダツ ぬぐ ぬげる	脱出 脱帽	月《にくづき》
丹	タン	丹精 丹念	丶《てん》

漢字	読み	用例	部首
淡	タン あわい	淡雪 冷淡	氵《さんずい》
嘆	タン なげく なげかわしい	嘆願 感嘆	口《くちへん》
端	タン はし (高)は はた	端正 先端	立《たつへん》
弾	ダン ひく はずむ たま	弾圧 爆弾	弓《ゆみへん》
恥	チ はじる はじ はじらう はずかしい	無恥	心《こころ》
致	チ いたす	一致 合致	至《いたる》
遅	チ おくれる おくらす おそい	遅延 遅速	辶《しんにょう》
蓄	チク たくわえる	蓄積 貯蓄	艹《くさかんむり》
跳	チョウ はねる とぶ	跳躍 跳馬	𧾷《あしへん》
徴	チョウ	徴収 特徴	彳《ぎょうにんべん》
澄	(高)チョウ すむ すます	上澄み	氵《さんずい》
沈	チン しずむ しずめる	沈着 不沈	氵《さんずい》

漢字	読み	用例	部首
珍	チン めずらしい	珍奇 珍妙	王《おうへん》
抵	テイ	抵抗 大抵	扌《てへん》
堤	テイ つつみ	堤防 防波堤	土《つちへん》
摘	テキ つむ	摘発 指摘	扌《てへん》
滴	テキ しずく ㊢したたる	水滴 雨の滴	氵《さんずい》
添	テン そえる そう	添加 添付	氵《さんずい》
殿	デン テン との どの	殿堂 殿様	殳《るまた》
吐	ト はく	吐露 吐息	口《くちへん》
途	ト	途中 帰途	辶《しんにょう》
渡	ト わたる わたす	渡航 渡来	氵《さんずい》
奴	ド	奴隷 農奴	女《おんなへん》
怒	ド いかる おこる	怒号 怒気	心《こころ》
到	トウ	到着 周到	刂《りっとう》

漢字	読み	用例	部首
逃	トウ にげる にがす のがす のがれる	逃亡 逃走	辶《しんにょう》
倒	トウ たおれる たおす	倒産 傾倒	亻《にんべん》
唐	トウ から	唐突 唐草	口《くち》
桃	トウ もも	桃色 桜桃	木《きへん》
透	トウ すく すかす すける	透明 透き間	辶《しんにょう》
盗	トウ ぬすむ	盗作 強盗	皿《さら》
塔	トウ	石塔 金字塔	土《つちへん》
稲	トウ いね いな	稲作 稲光	禾《のぎへん》
踏	トウ ふむ ふまえる	踏襲 未踏	足《あしへん》
闘	トウ たたかう	闘志 戦闘	門《もんがまえ》
胴	ドウ	胴上げ 胴体	月《にくづき》
峠	とうげ	峠道	山《やまへん》

漢字	読み	用例	部首
突	トツ つく	突然 突入	穴《あなかんむり》
鈍	ドン にぶい にぶる	鈍角 鈍感	金《かねへん》
曇	ドン くもる	曇天 薄曇り	日《ひ》
弐	ニ	弐千円	弋《しきがまえ》
悩	ノウ なやむ なやます	悩殺 苦悩	忄《りっしんべん》
濃	ノウ こい	濃厚 濃淡	氵《さんずい》
杯	ハイ さかずき	乾杯 祝杯	木《きへん》
輩	ハイ	輩出 先輩	車《くるま》
拍	ハク ヒョウ	拍車 拍手	扌《てへん》
泊	ハク とまる とめる	宿泊 停泊	氵《さんずい》
迫	ハク せまる	迫力 圧迫	辶《しんにょう》
薄	ハク うすい うすめる うすまる うすらぐ うすれる	薄情 希薄	艹《くさかんむり》

漢字	読み	用例	部首
爆	バク	爆発 自爆	火《ひへん》
髪	ハツ かみ	頭髪 毛髪	髟《かみがしら》
抜	バツ ぬく ぬける ぬかす ぬかる	抜群 選抜	扌《てへん》
罰	バツ バチ	罰金 処罰	罒《あみがしら》
般	ハン	一般 全般	舟《ふねへん》
販	ハン	販売 市販	貝《かいへん》
搬	ハン	搬出 運搬	扌《てへん》
範	ハン	範囲 模範	竹《たけかんむり》
繁	ハン	繁栄 繁雑	糸《いと》
盤	バン	円盤 基盤	皿《さら》
彼	ヒ かれ かの	彼我 彼岸	彳《ぎょうにんべん》
疲	ヒ つかれる	疲労	疒《やまいだれ》

漢字	読み	用例	部首
被	ヒ こうむる	被告 被服	衤《ころもへん》
避	ヒ さける	避難 逃避	辶《しんにょう》
尾	ビ お	尾根 首尾	尸《しかばね》
微	ビ	微笑 精微	彳《ぎょうにんべん》
匹	ヒツ ひき	匹敵 一匹	匚《かくしがまえ》
描	ビョウ えがく かく	描写 点描	扌《てへん》
浜	ヒン はま	海浜 浜辺	氵《さんずい》
敏	ビン	敏腕 鋭敏	攵《のぶん》
怖	フ こわい	恐怖	忄《りっしんべん》
浮	フ うく うかれる うかぶ うかべる	浮沈 浮遊	氵《さんずい》
普	フ	普及 普段	日《ひ》
腐	フ くさる くされる くさらす	腐敗 豆腐	肉《にく》
敷	㊢フ しく	敷石 屋敷	攵《のぶん》

漢字	読み	用例	部首
膚	フ	完膚　皮膚	肉《にく》
賦	フ	賦与　天賦	貝《かいへん》
舞	ブ　まう　まい	舞踊　鼓舞	舛《まいあし》
幅	フク　はば	幅員　歩幅	巾《はばへん》
払	(高)フツ　はらう	支払い　前払い	扌《てへん》
噴	フン　ふく	噴出　噴水	口《くちへん》
柄	(高)ヘイ　がら　え	間柄　絵柄	木《きへん》
壁	ヘキ　かべ	壁画　岸壁	土《つち》
捕	ホ　とらえる　とらわれる　とる　つかまえる　つかまる	捕獲　捕球	扌《てへん》
舗	ホ	舗装　店舗	舌《した》
抱	ホウ　だく　いだく　かかえる	抱負　介抱	扌《てへん》
峰	ホウ　みね	霊峰　連峰	山《やまへん》
砲	ホウ	砲火　砲撃	石《いしへん》
忙	ボウ　いそがしい	忙殺　多忙	忄《りっしんべん》
坊	ボウ　ボッ	坊主　宿坊	土《つちへん》
肪	ボウ	脂肪	月《にくづき》
冒	ボウ　おかす	冒険　感冒	曰《いわく》
傍	ボウ　(高)かたわら	傍観　路傍	亻《にんべん》
帽	ボウ	帽子　脱帽	巾《はばへん》
凡	ボン　(高)ハン	凡人　平凡	几《つくえ》
盆	ボン	盆地　盆踊り	皿《さら》
慢	マン	慢性　我慢	忄《りっしんべん》
漫	マン	漫画　散漫	氵《さんずい》
妙	ミョウ	妙案　奇妙	女《おんなへん》
眠	ミン　ねむる　ねむい	眠気　安眠	目《めへん》
矛	ム　ほこ	矛先　矛盾	矛《ほこ》
霧	ム　きり	霧雨　濃霧	雨《あめかんむり》
娘	むすめ	娘心　小娘	女《おんなへん》
茂	モ　しげる	繁茂	艹《くさかんむり》
猛	モウ	猛烈　勇猛	犭《けものへん》
網	モウ　あみ	網戸　金網	糸《いとへん》
黙	モク　だまる	黙殺　沈黙	黒《くろ》
紋	モン	紋章　指紋	糸《いとへん》
躍	ヤク　おどる	躍動　跳躍	足《あしへん》
雄	ユウ　お　おす	雄大　英雄	隹《ふるとり》
与	ヨ　あたえる	与党　貸与	一《いち》
誉	ヨ　ほまれ	栄誉　名誉	言《げん》
溶	ヨウ　とける　とかす　とく	溶液　溶解	氵《さんずい》
腰	(高)ヨウ　こし	本腰　物腰	月《にくづき》
踊	ヨウ　おどる　おどり	舞踊　盆踊り	足《あしへん》
謡	ヨウ　(高)うたい　(高)うたう	謡曲　歌謡	言《ごんべん》
翼	ヨク　つばさ	主翼　尾翼	羽《はね》
雷	ライ　かみなり	雷鳴　落雷	雨《あめかんむり》
頼	ライ　たのむ　たのもしい　たよる	依頼　信頼	頁《おおがい》
絡	ラク　(高)からむ　(高)からまる　(高)からめる	脈絡　連絡	糸《いとへん》
欄	ラン	欄干　空欄	木《きへん》
離	リ　はなれる　はなす	離脱　分離	隹《ふるとり》
粒	リュウ　つぶ	粒子　米粒	米《こめへん》
慮	リョ	遠慮　熟慮	心《こころ》
療	リョウ	療養　治療	疒《やまいだれ》
隣	リン　となる　となり	隣接　隣人	阝《こざとへん》
涙	ルイ　なみだ	感涙　落涙	氵《さんずい》
隷	レイ	隷属　奴隷	隶《れいづくり》
齢	レイ	樹齢　年齢	歯《はへん》
麗	レイ　(高)うるわしい	麗人　端麗	鹿《しか》
暦	レキ　こよみ	暦年　西暦	日《ひ》
劣	レツ　おとる	劣悪　優劣	力《ちから》
烈	レツ	烈火　猛烈	灬《れんが》
恋	レン　こう　こい　こいしい	恋愛　恋人	心《こころ》
露	ロ　ロウ　つゆ	露店　結露	雨《あめかんむり》
郎	ロウ	新郎　郎党	阝《おおざと》
惑	ワク　まどう	惑星　迷惑	心《こころ》
腕	ワン　うで	腕前　敏腕	月《にくづき》

漢検4級〔書き込み式〕問題集
別冊解答

ミニテスト解答

模擬テスト 解答・解説

第1回 ミニテスト ……本冊P4・5

1 読み
① ひがん
② ふくしょく
③ みゃくらく
④ いんそつ
⑤ かんるい
⑥ さび
⑦ ほこ
⑧ にぶ
⑨ かたむ
⑩ ひた

2 同音・同訓異字
① ア
② イ
③ エ
④ イ
⑤ ウ
⑥ オ

3 対義語
① 略
② 臨
③ 淡
④ 俗
⑤ 凶

4 部首
① エ
② エ
③ ア
④ エ
⑤ ア
⑥ エ
⑦ エ
⑧ エ
⑨ イ
⑩ ウ

5 誤字訂正
誤 → 正
① 快→改
② 回→開
③ 拡→格
④ 特→得
⑤ 覚→確
⑥ 志→指
⑦ 典→展
⑧ 反→判

6 書き取り
① 突入
② 起床
③ 恋愛
④ 惑星
⑤ 悩
⑥ 優
⑦ 裏切
⑧ 勇

第2回 ミニテスト ……本冊P6・7

1 読み
① けいしゃ
② かいきん
③ しんとう
④ ちょうしゅう
⑤ せいじゃく
⑥ いく
⑦ せま
⑧ にご
⑨ め
⑩ そ

2 漢字識別
① ク
② ウ
③ ア
④ キ
⑤ オ

3 類義語
① 互
② 豪
③ 努
④ 解
⑤ 奮

4 送りがな
① 過ごす
② 帯びた
③ 果たす
④ 優しい
⑤ 縮む
⑥ 訪ねる
⑦ 群れ
⑧ 設ける
⑨ 率い
⑩ 新たな

5 四字熟語
① 跡
② 金
③ 豊
④ 災
⑤ 里
⑥ 喜
⑦ 覧
⑧ 頭
⑨ 馬
⑩ 転

6 書き取り
① 砂丘
② 握力
③ 販売
④ 混雑
⑤ 門出
⑥ 浮
⑦ 汗
⑧ 欲張

第3回 ミニテスト ……本冊P8・9

1 読み
① とこう
② じゅよう
③ のうむ
④ しゃくめい
⑤ くし
⑥ せ
⑦ たの
⑧ く
⑨ ふ
⑩ なげ

2 同音・同訓異字
① イ
② ア
③ オ
④ オ
⑤ イ
⑥ ウ

3 対義語
① 鳴
② 眠
③ 微
④ 蓄
⑤ 供

4 熟語の構成
① イ
② ア
③ イ
④ イ
⑤ ア
⑥ ウ
⑦ オ
⑧ イ
⑨ ア
⑩ イ
⑪ エ

5 四字熟語
① 打
② 体
③ 状
④ 白
⑤ 雷
⑥ 闘
⑦ 用
⑧ 疑
⑨ 旨
⑩ 剣

6 書き取り
① 豊富
② 多忙
③ 創立
④ 婚約
⑤ 練
⑥ 注
⑦ 値札
⑧ 盛

第4回 ミニテスト ……本冊P10・11

1 読み
①くじょ
②そうい
③ひってき
④はんぼう
⑤そうげい
⑥たくわ
⑦うかが
⑧ではら
⑨しげ
⑩く

2 同音・同訓異字
①イ
②エ
③ア
④ア
⑤ウ
⑥エ

3 類義語
①較
②抜
③縁
④警
⑤占

4 部首
①エ
②イ
③ア
④エ
⑤ア
⑥イ
⑦イ
⑧ウ
⑨ア
⑩ウ

5 誤字訂正
誤　正
①服→復
②刷→察
③当→討
④在→財
⑤散→参
⑥知→治
⑦補→保
⑧余→予

6 書き取り
①支援
②途中
③傾斜
④過激
⑤編
⑥困
⑦燃
⑧叫

第5回 ミニテスト ……本冊P12・13

1 読み
①のうたん
②びよく
③ついおく
④しゅにく
⑤ぎきょく
⑥こづか
⑦はしわた
⑧あざ
⑨むか
⑩せま

2 漢字識別
①イ
②カ
③キ
④エ
⑤ケ

3 対義語
①納
②泊
③借
④革
⑤詳

4 送りがな
①閉めた
②異なる
③浴びる
④散る
⑤拝み
⑥供え
⑦足りる
⑧覚ます
⑨導く
⑩冷ややかな

5 四字熟語
①難
②罰
③明
④横
⑤即
⑥非
⑦節
⑧青
⑨黙
⑩薄

6 書き取り
①著作
②水彩画
③宣告
④脱出
⑤授
⑥拾
⑦額
⑧誇

第6回 ミニテスト ……本冊P14・15

1 読み
①わんしょう
②とうわく
③さくい
④うもう
⑤しゅし
⑥しずく
⑦れき
⑧なまり
⑨うった
⑩つか

2 同音・同訓異字
①ウ
②ア
③エ
④エ
⑤イ
⑥ア

3 類義語
①丈
②剣
③案
④栄
⑤獲

4 熟語の構成
①ア
②ア
③イ
④エ
⑤イ
⑥イ
⑦エ
⑧ウ
⑨イ
⑩ア
⑪オ

5 四字熟語
①奮
②後
③曲
④刀
⑤沈
⑥端
⑦足
⑧退
⑨材
⑩談

6 書き取り
①弁舌
②圧縮
③調査
④放置
⑤頼
⑥恥
⑦好
⑧破

第7回 ミニテスト ……本冊P16・17

1 読み
① きびん
② いんきょ
③ ちえん
④ きがん
⑤ いぎ
⑥ ねいき
⑦ かがや
⑧ めす
⑨ つつし
⑩ みちばた

2 同音・同訓異字
① ア
② オ
③ ウ
④ イ
⑤ ア
⑥ ウ

3 対義語
① 留
② 参
③ 好
④ 清
⑤ 優

4 部首
① ア
② イ
③ ア
④ ア
⑤ エ
⑥ エ
⑦ ア
⑧ エ
⑨ ウ
⑩ イ

5 誤字訂正
誤 正
① 考→向
② 基→規
③ 助→除
④ 新→針
⑤ 真→深
⑥ 起→揮
⑦ 敏→便
⑧ 保→補

6 書き取り
① 比較
② 濃霧
③ 演奏
④ 独占
⑤ 肩車
⑥ 占
⑦ 咲
⑧ 果

第8回 ミニテスト ……本冊P18・19

1 読み
① はんしょく
② がんちく
③ けいこう
④ けいはく
⑤ とうとつ
⑥ ほま
⑦ あらなみ
⑧ こわ
⑨ たけ
⑩ けむり

2 漢字識別
① キ
② エ
③ ア
④ コ
⑤ ウ

3 類義語
① 遠
② 堅
③ 盤
④ 匹
⑤ 尋

4 送りがな
① 備え
② 安らかな
③ 済ませ
④ 築く
⑤ 授かる
⑥ 後ろ
⑦ 失っ
⑧ 借りる
⑨ 豊かな
⑩ 預かる

5 四字熟語
① 興
② 霧
③ 起
④ 心
⑤ 門
⑥ 段
⑦ 望
⑧ 前
⑨ 腹
⑩ 玉

6 書き取り
① 熟練
② 屈折
③ 署名
④ 由来
⑤ 巣立
⑥ 疑
⑦ 群
⑧ 刷

第9回 ミニテスト ……本冊P20・21

1 読み
① だつぼう
② みんぞく
③ せいぎょ
④ たんねん
⑤ ほうふ
⑥ あわ
⑦ し
⑧ さわ
⑨ おど
⑩ つ

2 同音・同訓異字
① エ
② イ
③ ア
④ イ
⑤ エ
⑥ ア

3 対義語
① 寝
② 断
③ 違
④ 盟
⑤ 苦

4 熟語の構成
① ア
② イ
③ ア
④ ア
⑤ イ
⑥ ウ
⑦ エ
⑧ イ
⑨ オ
⑩ エ
⑪ ア

5 四字熟語
① 方
② 里
③ 欠
④ 路
⑤ 跡
⑥ 抗
⑦ 為
⑧ 天
⑨ 議
⑩ 非

6 書き取り
① 好感
② 車窓
③ 絶妙
④ 色彩
⑤ 裏庭
⑥ 訪
⑦ 鋭
⑧ 綿雪

第10回　ミニテスト　……本冊P22・23

1 読み
①しせき ②かびん ③おんけい ④ぼうさつ ⑤でんどう ⑥しゅうめい ⑦あつか ⑧すす ⑨えん ⑩めぐ

2 同音・同訓異字
①ウ ②イ ③ア ④オ ⑤エ ⑥ウ

3 類義語
①皮 ②周 ③格 ④将 ⑤傍

4 部首
①エ ②エ ③ウ ④ア ⑤イ ⑥ウ ⑦エ ⑧エ ⑨ア ⑩エ

5 誤字訂正
誤　正
①央→応 ②使→視 ③在→材 ④作→策 ⑤事→示 ⑥党→登 ⑦接→設 ⑧連→練

6 書き取り
①光沢 ②宿泊 ③黄金 ④熱烈 ⑤狩 ⑥召 ⑦枯 ⑧干

第11回　ミニテスト　……本冊P24・25

1 読み
①ふしょく ②びんそく ③いこう ④ぞうふく ⑤かよう ⑥しょうちょう ⑦ぎょかく ⑧みね ⑨あみ ⑩たが

2 漢字識別
①ア ②イ ③ウ ④カ ⑤キ

3 対義語
①尾 ②則 ③濃 ④専 ⑤逃

4 送りがな
①明らかだ ②唱える ③確かめる ④好ん ⑤盛り ⑥交わり ⑦謝る ⑧争い ⑨枯れる ⑩触る

5 四字熟語
①歴 ②口 ③刻 ④喜 ⑤言 ⑥奇 ⑦束 ⑧火 ⑨決 ⑩乾

6 書き取り
①信頼 ②新鮮 ③環境 ④巨体 ⑤救 ⑥見限 ⑦除 ⑧放

第12回　ミニテスト　……本冊P26・27

1 読み
①ひやく ②かいほう ③どくぜつ ④ようし ⑤はいしゅつ ⑥あとかた ⑦ほこさき ⑧はじ ⑨さず ⑩するど

2 同音・同訓異字
①ウ ②ア ③オ ④イ ⑤ウ ⑥エ

3 類義語
①完 ②範 ③技 ④襲 ⑤拠

4 熟語の構成
①ア ②イ ③イ ④イ ⑤エ ⑥エ ⑦ア ⑧オ ⑨エ ⑩ウ ⑪ウ

5 四字熟語
①応 ②離 ③暗 ④辞 ⑤備 ⑥亡 ⑦沈 ⑧致 ⑨倒 ⑩有

6 書き取り
①鮮度 ②遅刻 ③巨大 ④優秀 ⑤預 ⑥押 ⑦扱 ⑧抜

第13回 ミニテスト ……本冊P28・29

1 読み
①しと ②こうきゅう ③はっかん ④てんぽ ⑤もうはつ ⑥ゆうだい ⑦たいねつ ⑧しゅうねん ⑨す ⑩はか

2 同音・同訓異字
①イ ②ア ③ウ ④エ ⑤オ ⑥ア

3 対義語
①薄 ②丈 ③直 ④慎 ⑤洋

4 部首
①ア ②エ ③エ ④エ ⑤ウ ⑥ア ⑦エ ⑧ア ⑨イ ⑩エ

5 誤字訂正
誤 正
①間→観 ②章→賞 ③最→菜 ④現→限 ⑤差→査 ⑥所→処 ⑦将→招 ⑧信→進

6 書き取り
①拍手 ②増殖 ③透明 ④応援 ⑤示 ⑥極 ⑦恵 ⑧乾

第14回 ミニテスト ……本冊P30・31

1 読み
①せいきょう ②ちょうやく ③かんよ ④しょうほう ⑤せいえい ⑥こうりょ ⑦ぜにん ⑧さら ⑨かげ ⑩おと

2 漢字識別
①イ ②ケ ③コ ④カ ⑤キ

3 類義語
①貯 ②務 ③速 ④綿 ⑤輸

4 送りがな
①危ない ②減っ ③改める ④補っ ⑤転ん ⑥構え ⑦連れ ⑧退く ⑨曲がる ⑩敬う

5 四字熟語
①柔 ②休 ③堅 ④鬼 ⑤異 ⑥兼 ⑦腹 ⑧老 ⑨実 ⑩刀

6 書き取り
①握手 ②舞台 ③水滴 ④玄米 ⑤怒 ⑥寄 ⑦割 ⑧汚

第15回 ミニテスト ……本冊P32・33

1 読み
①まんしん ②たんれい ③とうはつ ④びょうしゃ ⑤はくしゃ ⑥ひさん ⑦そっせん ⑧もめん ⑨まど ⑩も

2 同音・同訓異字
①ウ ②エ ③オ ④イ ⑤ウ ⑥エ

3 対義語
①陽 ②鎖 ③満 ④御 ⑤被

4 熟語の構成
①イ ②イ ③ア ④エ ⑤ア ⑥エ ⑦ウ ⑧オ ⑨エ ⑩ア ⑪イ

5 四字熟語
①周 ②鬼 ③薄 ④挙 ⑤念 ⑥欲 ⑦散 ⑧苦 ⑨倒 ⑩器

6 書き取り
①香水 ②普通 ③凶 ④下旬 ⑤渡 ⑥逃 ⑦甘 ⑧忙

第16回 ミニテスト …… 本冊P34・35

1 読み
①ひふ ②ゆうえつ ③すんか ④そうぜん ⑤けんじ ⑥こうせい ⑦ほかく ⑧に ⑨こわ ⑩と

2 同音・同訓異字
①オ ②ア ③イ ④ア ⑤イ ⑥エ

3 類義語
①混 ②従 ③儀 ④職 ⑤勢

4 部首
①ア ②イ ③イ ④エ ⑤ウ ⑥エ ⑦エ ⑧ア ⑨エ ⑩エ

5 誤字訂正
誤→正
①位→遺 ②礼→来 ③供→共 ④外→害 ⑤視→支 ⑥尊→損 ⑦展→点 ⑧格→較

6 書き取り
①雷雨 ②丈夫 ③一般 ④浮上 ⑤導 ⑥空回 ⑦輪切 ⑧煙

第17回 ミニテスト …… 本冊P36・37

1 読み
①がんゆう ②ぼうかん ③ゆうが ④みんよう ⑤けいい ⑥そくおう ⑦やくざい ⑧はず ⑨ほこ ⑩なや

2 漢字識別
①イ ②ウ ③キ ④ア ⑤コ

3 対義語
①歓 ②壊 ③純 ④孫 ⑤却

4 送りがな
①乱れ ②満ちる ③親しい ④肥え ⑤慣れる ⑥軽やかな ⑦招く ⑧基づい ⑨直ちに ⑩偉い

5 四字熟語
①夫 ②危 ③断 ④絶 ⑤面 ⑥範 ⑦辞 ⑧雲 ⑨明 ⑩難

6 書き取り
①秘密 ②介護 ③迷路 ④食器 ⑤責 ⑥志 ⑦老 ⑧澄

第18回 ミニテスト …… 本冊P38・39

1 読み
①きょうさく ②もくどく ③しゅうれい ④きばつ ⑤せきさい ⑥ゆうべん ⑦すいそう ⑧ほ ⑨えら ⑩かみかざ

2 同音・同訓異字
①オ ②イ ③ア ④ウ ⑤エ ⑥オ

3 類義語
①惑 ②他 ③看 ④想 ⑤絡

4 熟語の構成
①イ ②ア ③イ ④ウ ⑤ア ⑥ア ⑦ウ ⑧オ ⑨エ ⑩ア ⑪エ

5 四字熟語
①転 ②秋 ③頭 ④温 ⑤起 ⑥賛 ⑦途 ⑧諸 ⑨慮 ⑩鳥

6 書き取り
①先輩 ②豪快 ③防水 ④納税 ⑤狂 ⑥弱音 ⑦険 ⑧激

第19回 ミニテスト …………本冊P40・41

1 読み

① もくさつ
② かくとく
③ えいよ
④ しゅうしん
⑤ こちょう
⑥ みょうぎ
⑦ ていしょく
⑧ めぐ
⑨ おおづ
⑩ めずら

2 同音・同訓異字

① ウ
② ア
③ オ
④ エ
⑤ オ
⑥ ウ

3 対義語

① 序
② 従
③ 絶
④ 豊
⑤ 猛

4 部首

① エ
② ア
③ ウ
④ エ
⑤ イ
⑥ ア
⑦ イ
⑧ エ
⑨ エ
⑩ ア

5 誤字訂正

誤　正
① 則→測
② 課→加
③ 劇→激
④ 源→減
⑤ 長→調
⑥ 準→順
⑦ 興→強
⑧ 乱→覧

6 書き取り

① 自慢
② 満杯
③ 態度
④ 推察
⑤ 裁
⑥ 退
⑦ 任
⑧ 幹

第20回 ミニテスト …………本冊P42・43

1 読み

① とうえい
② のきさき
③ かじょう
④ こうたい
⑤ りゅうし
⑥ とろ
⑦ えんとつ
⑧ おか
⑨ おもむき
⑩ あま

2 漢字識別

① ケ
② ア
③ カ
④ ウ
⑤ オ

3 類義語

① 搬
② 土
③ 更
④ 準
⑤ 念

4 送りがな

① 腐る
② 快い
③ 従う
④ 除く
⑤ 祝う
⑥ 裁く
⑦ 養う
⑧ 幸せな
⑨ 告げる
⑩ 久しく

5 四字熟語

① 適
② 落
③ 今
④ 強
⑤ 分
⑥ 端
⑦ 開
⑧ 故
⑨ 悪
⑩ 深

6 書き取り

① 逃走
② 脂肪
③ 紹介
④ 範囲
⑤ 望
⑥ 沖
⑦ 刺
⑧ 鈍

第21回 ミニテスト …………本冊P44・45

1 読み

① いやく
② ほそう
③ たんせい
④ ふきゅう
⑤ まんさい
⑥ あお
⑦ りょうよう
⑧ ほこさき
⑨ まこと
⑩ きび

2 同音・同訓異字

① ウ
② イ
③ ア
④ イ
⑤ ウ
⑥ エ

3 対義語

① 継
② 白
③ 頭
④ 放
⑤ 幼

4 熟語の構成

① オ
② ウ
③ エ
④ ア
⑤ ア
⑥ エ
⑦ ア
⑧ エ
⑨ エ
⑩ ウ
⑪ イ

5 四字熟語

① 投
② 挙
③ 因
④ 尊
⑤ 更
⑥ 転
⑦ 床
⑧ 腹
⑨ 決
⑩ 乱

6 書き取り

① 同盟
② 巡回
③ 故障
④ 通常
⑤ 器
⑥ 針
⑦ 幅
⑧ 傷口

第22回 ミニテスト ……本冊P46・47

1 読み
① かんたく
② しょうさい
③ びさい
④ くりょ
⑤ たんぱく
⑥ とうひ
⑦ せいか
⑧ よわた
⑨ てぜま
⑩ かえり

2 同音・同訓異字
① ウ
② エ
③ ア
④ ウ
⑤ ア
⑥ イ

3 類義語
① 力
② 恒
③ 承
④ 許
⑤ 御

4 部首
① エ
② ア
③ ア
④ ウ
⑤ イ
⑥ イ
⑦ ア
⑧ ア
⑨ ア
⑩ ウ

5 誤字訂正
誤 → 正
① 衛 → 営
② 各 → 革
③ 険 → 検
④ 困 → 混
⑤ 制 → 整
⑥ 臓 → 蔵
⑦ 俳 → 配
⑧ 鳴 → 迷

6 書き取り
① 妙
② 漫画
③ 後輩
④ 上旬
⑤ 呼
⑥ 泉
⑦ 珍
⑧ 管

第23回 ミニテスト ……本冊P48・49

1 読み
① きんきょう
② ちはい
③ かんこ
④ さんじょう
⑤ せんす
⑥ れっとう
⑦ あいしょう
⑧ はこづ
⑨ くさり
⑩ つ

2 漢字識別
① カ
② ア
③ ク
④ オ
⑤ エ

3 対義語
① 晩
② 延
③ 設
④ 率
⑤ 跡

4 送りがな
① 望む
② 欲しい
③ 任せる
④ 照らす
⑤ 垂れる
⑥ 志す
⑦ 捨てる
⑧ 負ける
⑨ 逆らう
⑩ 化ける

5 四字熟語
① 難
② 罰
③ 依
④ 断
⑤ 壁
⑥ 品
⑦ 耕
⑧ 災
⑨ 返
⑩ 明

6 書き取り
① 洗面
② 平凡
③ 連絡
④ 僧
⑤ 甘口
⑥ 峠
⑦ 花束
⑧ 暮

第24回 ミニテスト ……本冊P50・51

1 読み
① けいせき
② ていめい
③ たいきゅう
④ さいくつ
⑤ ごくひ
⑥ きゅうえん
⑦ せいふく
⑧ つつみ
⑨ かどで
⑩ ふ

2 同音・同訓異字
① ウ
② エ
③ オ
④ イ
⑤ ア
⑥ オ

3 類義語
① 薄
② 黙
③ 突
④ 冒
⑤ 是

4 熟語の構成
① オ
② ウ
③ エ
④ ウ
⑤ エ
⑥ イ
⑦ ウ
⑧ オ
⑨ オ
⑩ エ
⑪ ア

5 四字熟語
① 前
② 沈
③ 伝
④ 専
⑤ 棒
⑥ 団
⑦ 衆
⑧ 始
⑨ 清
⑩ 好

6 書き取り
① 警戒
② 乾燥
③ 距離
④ 育成
⑤ 濁
⑥ 網
⑦ 垂
⑧ 手塩

第25回 ミニテスト ……本冊P52・53

1 読み
①いぜん ②ひつじゅ ③ぎょうぎ ④ぜつみょう ⑤ちくせき ⑥えっきょう ⑦とうくつ ⑧ふく ⑨まさ ⑩なな

2 同音・同訓異字
①ウ ②オ ③ア ④ウ ⑤エ ⑥ア

3 対義語
①舞 ②浮 ③断 ④歳 ⑤却

4 部首
①ウ ②エ ③エ ④イ ⑤ア ⑥エ ⑦エ ⑧ア ⑨ア ⑩エ

5 誤字訂正
誤 正
①課→貨 ②限→源（原） ③資→飼 ④健→験 ⑤動→導 ⑥親→真 ⑦棒→防 ⑧美→備

6 書き取り
①爆弾 ②罰 ③録音 ④地域 ⑤届 ⑥振 ⑦床 ⑧淡

第26回 ミニテスト ……本冊P54・55

1 読み
①はんも ②きゅうれき ③はんきょう ④ちょうば ⑤ひぼん ⑥いぎょう ⑦ようとう ⑧おそ ⑨さわ ⑩よご

2 漢字識別
①ア ②オ ③キ ④ケ ⑤ウ

3 類義語
①団 ②筋 ③憶 ④補 ⑤素

4 送りがな
①探す ②欠ける ③疑い ④辺り ⑤暴れる ⑥清らかな ⑦刻む ⑧透ける ⑨生ける ⑩珍しい

5 四字熟語
①処 ②専 ③慮 ④根 ⑤漫 ⑥常 ⑦博 ⑧鋭 ⑨脚 ⑩得

6 書き取り
①宣伝 ②濃密 ③交互 ④圏外 ⑤片時 ⑥抱 ⑦試 ⑧触

第27回 ミニテスト ……本冊P56・57

1 読み
①こんわく ②はんにゅう ③かいひ ④おてん ⑤へいぼん ⑥へいさ ⑦えんぎ ⑧いまし ⑨お ⑩つか

2 同音・同訓異字
①ア ②ウ ③イ ④ウ ⑤エ ⑥イ

3 対義語
①端 ②理 ③好 ④損 ⑤確

4 熟語の構成
①エ ②ウ ③エ ④イ ⑤ウ ⑥イ ⑦エ ⑧イ ⑨オ ⑩ウ ⑪ア

5 四字熟語
①妙 ②秋 ③心 ④盾 ⑤途 ⑥薄 ⑦致 ⑧威 ⑨麗 ⑩劣

6 書き取り
①省略 ②映像 ③頭痛 ④良質 ⑤及 ⑥捕 ⑦吹 ⑧沼

第28回 ミニテスト

本冊P58・59

1 読み
① おだく
② びょうしょう
③ ぜんと
④ きゅうみん
⑤ けんむ
⑥ びんわん
⑦ いせい
⑧ おか
⑨ かざ
⑩ おおやけ

2 同音・同訓異字
① ア
② エ
③ オ
④ ア
⑤ エ
⑥ オ

3 類義語
① 丈
② 樹
③ 改
④ 推
⑤ 憶

4 部首
① ア
② ア
③ イ
④ エ
⑤ ア
⑥ イ
⑦ ア
⑧ ア
⑨ ウ
⑩ ア

5 誤字訂正
誤 正
① 集→収
② 周→終
③ 科→価
④ 討→当
⑤ 機→期
⑥ 不→負
⑦ 裁→済
⑧ 労→老

6 書き取り
① 担当
② 高齢
③ 脱皮
④ 永眠
⑤ 荒
⑥ 狭
⑦ 疲
⑧ 遅

第29回 ミニテスト

本冊P60・61

1 読み
① らんぶ
② じゅし
③ とってい
④ はんしゅつ
⑤ こうえん
⑥ らんかん
⑦ かいたく
⑧ えんにち
⑨ だま
⑩ こ

2 漢字識別
① カ
② イ
③ ウ
④ エ
⑤ コ

3 対義語
① 過
② 否
③ 却
④ 複
⑤ 留

4 送りがな
① 甘い
② 含む
③ 驚く
④ 悩み
⑤ 頂く
⑥ 反らし
⑦ 及ば
⑧ 汚れる
⑨ 割く
⑩ 外れる

5 四字熟語
① 奇
② 異
③ 離
④ 俗
⑤ 跡
⑥ 語
⑦ 威
⑧ 致
⑨ 闘
⑩ 砲

6 書き取り
① 筋肉
② 感触
③ 区域
④ 洗剤
⑤ 贈
⑥ 砂浜
⑦ 一匹
⑧ 掘

第30回 ミニテスト

本冊P62・63

1 読み
① れんぽう
② ひれん
③ しっぴつ
④ りゅうぎ
⑤ きじょう
⑥ しょうさん
⑦ こうりょう
⑧ え
⑨ おど
⑩ うらな

2 同音・同訓異字
① イ
② エ
③ オ
④ エ
⑤ ウ
⑥ ア

3 類義語
① 在
② 功
③ 最
④ 老
⑤ 輸

4 熟語の構成
① ウ
② イ
③ エ
④ エ
⑤ ア
⑥ エ
⑦ ウ
⑧ ア
⑨ オ
⑩ ウ
⑪ エ

5 四字熟語
① 寸
② 打
③ 端
④ 足
⑤ 即
⑥ 路
⑦ 狂
⑧ 乾
⑨ 黙
⑩ 東

6 書き取り
① 夢中
② 効果
③ 強烈
④ 声援
⑤ 涙
⑥ 描
⑦ 鼻筋
⑧ 鬼

第1回

模擬テスト　解答・解説

本冊 P.66～71

(一) 読み

①のうむ
②みゃくらく
③せいじゃく
④がんちく
⑤こうきゅう
⑥しゃくめい
⑦たんれい
⑧そうぜん
⑨ゆうが
⑩もくどく
⑪しょうさい
⑫きんきょう
⑬かいたく
⑭きばつ
⑮ないじゅ
⑯れっせい
⑰しっとう
⑱いぎ
⑲ようきょく
⑳しせき

ワンポイント

読み

②**脈絡**
筋道。つながり。「脈絡のない○○」と否定的に使う。

④**含蓄**
深い意味がひそんでいること。

⑤**恒久**
長く変わらないこと。

⑦**端麗**
容姿が整って美しいこと。

⑧**騒然**
さわがしいさま。

⑬**開拓**
荒野や新たな分野を切り開くこと。

⑮**内需**
国内の需要。

⑯**劣勢**
形勢が不利なこと。

⑱**威儀**
作法にかなった振る舞い。

⑲**謡曲**
能の脚本のこと。

㉑ひっち
㉒め
㉓こづか
㉔す
㉕うった
㉖おもむき
㉗はか
㉘いの
㉙あわ
㉚おか

(二) 同音・同訓異字

①エ
②ア
③イ
④エ
⑤オ
⑥イ
⑦ア
⑧イ
⑨ウ
⑩ウ
⑪ア
⑫イ
⑬イ
⑭ア
⑮オ

ワンポイント

㉑**筆致**
書画や文の書きぶり。

㉖**趣**
1字で「おもむき」と読む。

㉚**冒す**…危険を冒す。
犯す…罪を犯す。
侵す…陣地を侵す。

同音・同訓異字

①**維持**
同じ状態を持続させること。

②**相違**
一致しないこと。

③**経緯**
物事のいきさつ。

④**皆無**
全くないこと。

⑤**戒律**
信者が守るべき規律。

⑥**全壊**
すっかり壊れること。

⑦**驚嘆**
おどろき感心する。

⑧**狂気**
異常な精神状態。

⑨**興味**
対象への特別な関心。

⑩**来襲**
襲いかかってくること。

⑪**優秀**
すぐれていること。

⑫**修得**
学問を習って覚えること。

⑬**尽くす**
できる限りを出しきる。

⑭**継ぐ**
引き継ぐ。

⑮**就く**
役職や地位に就任する。

(三) 漢字識別

①カ
②ク
③イ
④キ
⑤ウ

(四) 熟語の構成

①オ
②イ
③ア
④エ
⑤ウ
⑥ア
⑦ア
⑧ウ
⑨ウ
⑩ウ

ワンポイント

漢字識別

①**手腕**
物事をうまく処理する能力。

②**波紋**
輪を描いて広がる水の文様。周囲に伝わる動揺。

④**方丈**
1丈（約3m）四方の部屋。転じて住職のこと。

気丈
気持ちをしっかりと保つこと。

熟語の構成

①**不慮**…慮ではない
思いがけないこと。

②**栄枯**…栄 ⇕ 枯

③**恩恵**…恩 ＝ 恵み

④**遅刻**…遅れる ← 時刻に

⑤**空欄**…空いた → 欄

⑥**運搬**…運ぶ ＝ 搬

⑦**休暇**…休み ＝ 暇

⑧**微量**…微かな → 量

⑨**帰途**…帰る → 途（道）

⑩**巨人**…巨大な → 人

(五) 部首

① ア
② イ
③ エ
④ ア
⑤ ア
⑥ エ
⑦ ウ
⑧ エ
⑨ ア
⑩ イ

(六) 対義語・類義語

① 略
② 延
③ 柔
④ 抗
⑤ 供
⑥ 互
⑦ 貯
⑧ 団
⑨ 易
⑩ 獲

(七) 送りがな

① 帯び
② 除い
③ 冷ややかな
④ 輝く
⑤ 失う

ワンポイント

部首

③ **隷** 部首は隶（れいづくり）。

⑤ **御** 部首は彳（ぎょうにんべん）。

対義語

① **繁雑** ⇔ **簡略**
② **短縮** ⇔ **延長**
③ **乱暴** ⇔ **柔和**
④ **服従** ⇔ **反抗**
⑤ **需要** ⇔ **供給**

類義語

⑥ **対等** ＝ **互角**
⑦ **備蓄** ＝ **貯蔵**
⑧ **結束** ＝ **団結**
⑨ **簡単** ＝ **容易**
⑩ **入手** ＝ **獲得**

送りがな

① **帯びる** 名詞は「おび」、動詞なら「お」と読む。

⑤ **失う** 活用語尾（失わない、失う時のように、後に続く語によって変化する部分）から送る。

(八) 四字熟語

① 体
② 望
③ 金
④ 非
⑤ 周
⑥ 賛
⑦ 強
⑧ 後
⑨ 面
⑩ 頭

(九) 誤字訂正

	誤		正
①	億	→	憶
②	室	→	質
③	連	→	練
④	点	→	展
⑤	後	→	護

ワンポイント

四字熟語

① **絶体絶命** 危険なものからのがれられない様子。

② **一望千里** 広大で見晴らしがよいこと。

③ **金科玉条** この上なく大切で、守るべき規則や法律。

④ **極悪非道** これ以上ないほど悪く、人の道に外れていること。

⑤ **用意周到** しっかりと準備できていること。

⑥ **自画自賛** 自分で自分をほめること。

⑦ **弱肉強食** 強い者が弱い者をえじきにして栄えること。

⑧ **後生大事** とても大切にすること。

⑨ **人面獣心** 人間らしい感情を持っていない人。

⑩ **平身低頭** ひたすら頭を下げること。

(十) 書き取り

① 勤勉
② 話術
③ 根性
④ 弁舌
⑤ 署名
⑥ 信頼
⑦ 重視
⑧ 居住
⑨ 寸断
⑩ 比較
⑪ 新鮮
⑫ 悩
⑬ 汗
⑭ 編
⑮ 救
⑯ 示
⑰ 振
⑱ 奥歯
⑲ 娘
⑳ 床

ワンポイント

書き取り

① **勤勉** 仕事や勉強に、一生けん命にはげむこと。

④ **弁舌** ものの言い方。

⑤ **署名** 書類に自分の氏名を記すこと。

⑨ **寸断** ずたずたに断ち切ること。

⑩ **比較** 比べること。「較」も比べるという意味。

⑫ **悩** 似た字の「脳」と間違えないように注意。

⑭ **編む** 糸などを組み合わせる。

⑮ **救う** 悪い状態から助ける。

⑯ **示す** 相手にわかるように見せる。

⑱ **奥歯** 「歯」の上半分は「止」。「上」としない。

第2回

模擬テスト　解答・解説

本冊 P.72〜77

(一)　読み

① いんきょ
② きゅうえん
③ じゅよう
④ べっと
⑤ いこう
⑥ はいしゅつ
⑦ こうりょ
⑧ ごかく
⑨ とうはつ
⑩ えんとつ
⑪ いやく
⑫ せいか
⑬ けいせき
⑭ かんしゅう
⑮ ふはい
⑯ たんねん
⑰ ひがん
⑱ ちえん
⑲ じゅんぎょう
⑳ ついおく

ワンポイント

読み

①**隠居**　仕事を退いてのんびりと暮らすこと。
③**需要**　買おうとする欲求。
⑤**遺稿**　未発表のまま死後に残された原稿。
⑥**輩出**　人材を送り出すこと。
⑪**違約**　約束を守らないこと。
⑯**丹念**　念入りにすること。
⑰**彼岸**　向こう岸。仏教で死後の世界のこと。
⑲**巡業**　各地を興行して回ること。
㉑**襲う**　音読みはシュウ。
㉔**西暦**　似た字の「歴」もレキと読む。
㉕**敷く**　「引く」と混同しないように。

㉑ おそ
㉒ ほこ
㉓ はしわた
㉔ せいれき
㉕ し
㉖ に
㉗ つばさ
㉘ さわ
㉙ たず
㉚ さ

(二)　同音・同訓異字

① エ
② ウ
③ イ
④ ア
⑤ オ
⑥ ウ
⑦ ウ
⑧ エ
⑨ イ
⑩ ア
⑪ イ
⑫ ウ
⑬ ウ
⑭ エ
⑮ ア

ワンポイント

㉙**尋ねる**　人に聞くこと。「尋常」(ジンジョウ) は「普通」という意味。

同音同訓異字

①**押す**　手でおさえる。プッシュ。
②**推す**　推測する。推薦する。レコメンド。
③**負う**　ひきうけること。
④**詳細**　詳しくて細かなこと。
⑤**起床**　起き出すこと。
⑥**紹介**　未知の人や物を引き合わせる。「招」「召」と間違えない。
⑦**透視**　透かして見ること。
⑧**盗難**　盗まれること。
⑨**唐突**　いきなり。
⑩**搬出**　運び出すこと。
⑪**販売**　物を売ること。
⑫**判決**　裁判所が下す判断。
⑬**普段**　日ごろ。日常。
⑭**浮遊**　浮かぶこと。
⑮**賦課**　税金などを割り当てて負担させること。

(三)　漢字識別

① ウ
② イ
③ ク
④ カ
⑤ オ

(四)　熟語の構成

① ウ
② ア
③ イ
④ ウ
⑤ オ
⑥ イ
⑦ エ
⑧ ウ
⑨ イ
⑩ イ

ワンポイント

漢字識別

①**縁故**　人の関わり合い。
縁起　物事の由来。
②**戯言**　ふざけて言う言葉。「たわごと」とも読む。
④**拍車**　「〜をかける」で「一層勢いを増す」という意味。もとは乗馬の際にかかとにつけて、馬に指示を与える道具。

熟語の構成

①**壁画**…壁の ↓ 画
②**歌謡**…歌 = 謡
③**送迎**…送る ⇕ 迎える
④**遠征**…遠くへ ↓ 征く
⑤**未婚**…結婚しない
⑥**加減**…加える ⇕ 減らす
⑦**執刀**…執る ↑ 刀を
⑧**瞬間**…一瞬の ↓ 時間
⑨**離合**…離れる ⇕ 合う
⑩**首尾**…首(あたま) ⇕ 尾

(五) 部首

①エ ②ア ③ア ④ウ ⑤エ

⑥エ ⑦イ ⑧エ ⑨ア ⑩ウ

(六) 対義語・類義語

①臨 ②主 ③設 ④嘆 ⑤納

⑥豪 ⑦剣 ⑧務 ⑨巨 ⑩刺

(七) 送りがな

①果たす ②祝い ③豊かな ④忘れる ⑤借り

ワンポイント

部首

①**委** ④**秀**
どちらも「禾」を含むが、部首は異なる。

対義語

①**定期 ⇔ 臨時**
②**家来 ⇔ 主君**
③**破壊 ⇔ 建設**
④**歓喜 ⇔ 悲嘆**
⑤**徴収 ⇔ 納入**

類義語

⑥**長者 ＝ 富豪**
⑦**本気 ＝ 真剣**
⑧**使命 ＝ 責務**
⑨**大樹 ＝ 巨木**
⑩**皮肉 ＝ 風刺**

送りがな

⑤**借り**
「借りない」「借りる」など、後に続く言葉が変わってもりは変化しないが、送りがなにする。「落ちる」も同様。

(八) 四字熟語

①絶 ②興 ③路 ④霧 ⑤夫

⑥端 ⑦雷 ⑧玉 ⑨範 ⑩悪

(九) 誤字訂正

	誤		正
①	師	→	指
②	間	→	慣
③	真	→	信
④	申	→	針
⑤	暴	→	防

ワンポイント

四字熟語

①**空前絶後**
今までになく、今後もないこと。
②**興味本位**
おもしろいかを基準に考える様子。
③**理路整然**
考えや話、文章が筋道立っていること。
④**雲散霧消**
雲やきりのように跡形もなく消えること。
⑤**創意工夫**
これまでにない方法を考えること。
⑥**多事多端**
仕事や用事が多くて忙しい様子。
⑦**付和雷同**
他人の意見に同調すること。
⑧**玉石混交**
優れたものとそうでないものが混じっていること。
⑨**率先垂範**
先頭に立って実行し、お手本を見せること。
⑩**悪逆無道**
道理に外れたひどい行い。

(十) 書き取り

①増殖 ②境内 ③権限 ④圧縮 ⑤放置 ⑥損失 ⑦洗面 ⑧呼吸 ⑨保留 ⑩平凡 ⑪頼 ⑫帯 ⑬優 ⑭欲張 ⑮最 ⑯恥 ⑰器 ⑱足踏 ⑲極 ⑳管

ワンポイント

書き取り

①**増殖**
増えて多くなること。
②**境内**
神社・寺院の敷地の内。
③**権限**
その立場でもつ権利・権力の範囲。
⑤**放置**
ほうっておくこと。
⑥**損失**
「失」は縦の画を上まで突き出す。「矢」にならないよう注意。
⑨**保留**
その場で決定しないで延ばすこと。
⑫**帯びる**
上のパーツは縦3本。「革」の上部と異なる。
⑯**恥**
名詞なら1字で「恥」。動詞の場合は「恥じる」のように「じ」はひらがな。
⑰**器**
1字でウツワ。送りがなはつかない。
⑳**管**
よく似た「官」との間違いに注意。

第3回

模擬テスト　解答・解説

本冊
P.78～83

(一)　読み

① じんもん
② にゅうわ
③ しんとう
④ かんるい
⑤ さくい
⑥ ぎきょく
⑦ きびん
⑧ ちょうやく
⑨ すんか
⑩ ほそう
⑪ りょうよう
⑫ ていめい
⑬ ぎょうぎ
⑭ たいきゃく
⑮ そうこう
⑯ かんよ
⑰ ひふ
⑱ かんたく
⑲ げいごう
⑳ けんじ

ワンポイント

読み

①**尋問**　口頭で問いただすこと。
②**柔和**　柔はジュウ、ニュウと読むが、柔和ではニュウが正しい読み。
④**感涙**　涙はナミダの他に、ルイと読む。涙腺など。
⑤**作為**　作り出すこと。故意に作ること。
⑧**跳躍**　「躍」に似た字には「濯」「曜」があるが、それぞれ音読みが異なる。
⑮**草稿**　文章の下書き。
⑰**皮膚**　「膚」は「肌」の意味。
㉑**鈍い**　他に「にぶ(る)」と読む。
㉓**誉れ**　たたえるほど高い評価。
㉔**矛先**　「矛」はヤリに似た武器。「矛盾」などにも使われる。

㉑ にぶ
㉒ なげ
㉓ ほま
㉔ ほこさき
㉕ するど
㉖ つ
㉗ いまし
㉘ お
㉙ た
㉚ にご

(二)　同音・同訓異字

① ア
② イ
③ ウ
④ ウ
⑤ エ
⑥ イ
⑦ イ
⑧ ウ
⑨ オ
⑩ オ
⑪ イ
⑫ ウ
⑬ エ
⑭ ア
⑮ イ

ワンポイント

同音・同訓異字

①**要旨**　要点をまとめたもの。
②**雌雄**　オスとメス。転じて勝ち負け。
③**紫外線**　波長が可視光線より短い電磁波。
④**遠征**　遠くへ出向くこと。
⑤**盛大**　集会などの規模が大きくはなばなしいこと。
⑥**精密**　細かい点まで正確に作られていること。
⑦**合致**　ぴったり合うこと。
⑧**遅配**　配達の遅れ。
⑨**位置**　物がある所。
⑩**振る**　何度か往復させるように動かす。
⑪**踏む**　足で体重をかける。
⑫**触れる**　軽くくっつく。
⑬**民謡**　民衆の中で伝えられてきた歌謡。
⑭**必要**　なくてはならないこと。
⑮**舞踊**　ダンス。

(三)　漢字識別

① キ
② ク
③ ケ
④ ア
⑤ イ

(四)　熟語の構成

① ア
② ア
③ ア
④ ア
⑤ イ
⑥ ア
⑦ エ
⑧ オ
⑨ イ
⑩ ウ

ワンポイント

漢字識別

①**妙技**　見事なわざ。
絶妙　この上なくたくみ。
妙案　いい思いつき。
②**露出**　むき出しになること。
⑤**執行**　とり行うこと。
固執　意見・態度を簡単に変えないこと。コシツ、コシュウとも読む。
執刀　手術でメスを持つこと。

熟語の構成

①**劣悪**…劣る＝悪い
②**巨大**…巨＝大きい
③**継続**…継ぐ＝続く
④**平凡**…平＝凡
⑤**賞罰**…賞⇔罰
⑥**珍奇**…珍しい＝奇妙
⑦**離陸**…離れる←陸を
⑧**未到**…到らない
⑨**需給**…需要⇔供給
⑩**城壁**…城の→壁

(五) 部首

① エ
② ウ
③ ア
④ ア
⑤ エ
⑥ エ
⑦ イ
⑧ エ
⑨ ア
⑩ ア

(六) 対義語・類義語

① 丈
② 薄
③ 詳
④ 直
⑤ 率
⑥ 類
⑦ 慮
⑧ 速
⑨ 黙
⑩ 介

(七) 送りがな

① 後ろ
② 優しい
③ 反る
④ 隠され
⑤ 新たな

ワンポイント

部首

②**驚**　部首は馬。
⑤**裏**　部首はころも。衣の間に里をはさんだ字形。

対義語

①**病弱** ⇔ **丈夫**
②**強固** ⇔ **薄弱**
③**大要** ⇔ **詳細**
④**回避** ⇔ **直面**
⑤**慎重** ⇔ **軽率**

類義語

⑥**縁者** ＝ **親類**
⑦**思案** ＝ **考慮**
⑧**即刻** ＝ **早速**
⑨**無視** ＝ **黙殺**
⑩**看病** ＝ **介抱**

送りがな

①**後ろ**
アトと読むときは送りがなは不要。
⑤**新た**
アタラシイと読む場合は「しい」が送りがな。

(八) 四字熟語

① 適
② 門
③ 欠
④ 白
⑤ 里
⑥ 談
⑦ 承
⑧ 明
⑨ 騒
⑩ 辞

(九) 誤字訂正

	誤		正
①	特	↓	得
②	険	↓	検
③	法	↓	報
④	節	↓	設
⑤	議	↓	技

ワンポイント

四字熟語

①**適者生存**
環境に適したものが生き残ること。
②**門外不出**
貴重な品や技術を外に出さずしまっておくこと。
③**完全無欠**
欠点などがまったくないこと。
④**青天白日**
やましい部分が一つもないこと。
⑤**五里霧中**
状況がはっきりせず、迷うこと。
⑥**談論風発**
話し合いが活発に行われること。
⑦**起承転結**
物事の順序や作法、組み立て方。
⑧**明鏡止水**
余計な考えがなく、落ち着いた心境。
⑨**物情騒然**
世の中が騒がしいさま。
⑩**美辞麗句**
立派に聞こえる、かざり立てた言葉。

(十) 書き取り

① 豊富
② 模写
③ 悲願
④ 由来
⑤ 環境
⑥ 握手
⑦ 故障
⑧ 声援
⑨ 同盟
⑩ 筆跡
⑪ 損失
⑫ 程度
⑬ 見限
⑭ 練
⑮ 困
⑯ 好
⑰ 危
⑱ 背負
⑲ 博士
⑳ 注

ワンポイント

書き取り

①**豊富**
豊かにあること。
②**模写**
まねて写すこと。
③**悲願**
成しとげたいと思う願い。
④**由来**
物事が今までに経て来た筋道。
⑤**環境**
周囲をとりまく状態や世界。
⑨**同盟**
共通の目的達成のため、協力する約束。
⑬**見限る**
見込みがないとあきらめてやめる。
⑭**練る**
こねて混ぜる。きたえてみがく。
⑰**危うい**
「危ない」も送りがなの問題でよく出る。
⑲**博士**
ハクシとも読む。

第4回 模擬テスト 解答・解説

本冊 P.84～89

(一) 読み

① かいほう
② びょうしゃ
③ きょうさく
④ ちはい
⑤ びんそく
⑥ のきさき
⑦ のうたん
⑧ そうい
⑨ どくぜつ
⑩ げんまい
⑪ しょうほう
⑫ みんよう
⑬ たんせい
⑭ せいふく
⑮ しゅび
⑯ けいしょう
⑰ きはん
⑱ ふきゅう
⑲ くりょ
⑳ かたむ

ワンポイント

読み

①介抱 助けて面倒を見ること。
⑥軒先 ノキ、サキともに訓読み。
⑨毒舌 舌はシタとも読む。
⑪詳報 詳しい知らせ。
⑭征服 武力で敵を倒し、支配すること。
⑯継承 身分・仕事・財産などを受け継ぐこと。「承継」も同じ意味。
⑲苦慮 思い悩む。
⑳傾く 活用語尾（傾かない、傾く時）の「く」はひらがな。
㉒伺う 「聞く、尋ねる、訪ねる」の謙譲語。
㉖脂汗 「油」との混同に注意。
・**脂**…主に動物性。常温で固体。
・**油**…主に植物性。常温で液体。
㉙仰ぐ 顔を上に向ける。尊敬する。

㉑ たの
㉒ うかが
㉓ さら
㉔ はず
㉕ おか
㉖ あぶらあせ
㉗ か
㉘ ぬす
㉙ あお
㉚ たびかさ

(二) 同音・同訓異字

① エ
② イ
③ オ
④ イ
⑤ ウ
⑥ エ
⑦ イ
⑧ ウ
⑨ オ
⑩ ウ
⑪ エ
⑫ イ
⑬ イ
⑭ エ
⑮ ア

ワンポイント

同音・同訓異字

①事項 物事の中の一つ。
②荒野 あれた野原。
③投稿 雑誌などに自発的に原稿を送ること。
④占拠 場所を押さえて支配する。
⑤扇動 気持ちをあおり、ある行動を起こさせること。
⑥新鮮 魚や野菜が新しくて、生きがいいこと。
⑦添う そばにいる。
⑧反る 弓なりに曲がる。
⑨沿う 川や道の脇を進む。
⑩騒動 さわいで秩序が乱れること。
⑪乾燥 水分がなくなること。
⑫僧正 僧官の最上位。ソウジョウと読む。
⑬熱帯 赤道付近の年中温暖な地域。
⑭耐久 長持ちすること。
⑮絶対 何が何でも。「絶体絶命」は「対」ではなく「体」。

(三) 漢字識別

① キ
② ク
③ ウ
④ エ
⑤ ケ

(四) 熟語の構成

① ア
② オ
③ イ
④ イ
⑤ ウ
⑥ ウ
⑦ イ
⑧ エ
⑨ エ
⑩ イ

ワンポイント

漢字識別

①殿堂 立派な建物。
殿上 宮中・殿堂の内部。
②権威 支配し服従させる力。特定の分野に精通した人。
④雅楽 奈良時代に伝来した音楽。

熟語の構成

①戦闘…戦い ＝ 闘い
②未納…納めない
③優劣…優れる ⇕ 劣る
④着脱…着る ⇕ 脱ぐ
⑤握力…握る → 力
⑥寝台…寝る → 台
⑦陰陽…陰 ⇕ 陽
⑧抜歯…抜く ← 歯を
⑨調髪…調える ← 髪を
⑩興亡…興る ⇕ 亡びる

（五）部首

①ア ②エ ③ウ ④ウ ⑤エ

⑥エ ⑦ア ⑧イ ⑨ウ ⑩エ

（六）対義語・類義語

①借 ②俗 ③慎 ④跡 ⑤温

⑥理 ⑦解 ⑧栄 ⑨綿 ⑩突

（七）送りがな

①危ない ②幸せ ③清らかな ④避ける ⑤群れ

ワンポイント

部首

②**朱** わかりにくいが部首は木。

④**至** 「至」1字で部首になる。

対義語

①**返却** ⇕ 借用

②**高雅** ⇕ 低俗

③**軽率** ⇕ 慎重

④**逃亡** ⇕ 追跡

⑤**乱暴** ⇕ 温和

類義語

⑥**根拠** ＝ 理由

⑦**釈明** ＝ 弁解

⑧**名誉** ＝ 栄光

⑨**丹念** ＝ 綿密

⑩**不意** ＝ 突然

送りがな

③**清らかな** 「やか」、「らか」はひらがなになる。「柔らか」も同様。

（八）四字熟語

①令 ②頭 ③薄 ④災 ⑤途

⑥方 ⑦秋 ⑧為 ⑨旨 ⑩非

（九）誤字訂正

	誤		正
①	手	→	取
②	新	→	真
③	勝	→	賞
④	商	→	消
⑤	補	→	保

ワンポイント

四字熟語

①**外交辞令** 相手によく思われるような、口先だけの言葉。

②**頭寒足熱** 頭を冷やして足を暖かくすること。健康によいと言われる。

③**薄志弱行** 意志が弱く、決める力に欠けること。

④**天災地変** 自然によって引き起こされるさまざまな災い。

⑤**前途有望** 将来が楽しみであること。

⑥**八方美人** どういった人に対しても、愛想よく接する人。

⑦**一日千秋** とても待ちこがれていること。

⑧**無為徒食** 何もせずにぶらぶらと毎日を過ごすこと。

⑨**論旨明快** 文章や議論の内容が筋道立っていてわかりやすいこと。

⑩**是非曲直** 物事の良し悪し、正しいこととそうでないこと。

（十）書き取り

①珍味 ②断片 ③混雑 ④本音 ⑤発展 ⑥巨体 ⑦領域 ⑧薬剤 ⑨合奏 ⑩土俵

⑪指導 ⑫裏切 ⑬厳 ⑭省 ⑮招 ⑯除 ⑰恵 ⑱傷口 ⑲雷 ⑳大幅

ワンポイント

書き取り

①**珍味** 珍しくおいしい食べ物。

②**断片** ちぎれた切れ端。

③**混雑** 混み合うこと。入り乱れること。

⑥**巨体** 大きな体。

⑧**薬剤** 薬品。「剤」と「済」の混同に注意。

⑩**土俵** 土を詰めたたわら。相撲を取る場所。

⑬**厳か** 「厳」のもう一つの読み「きびしい」もよく出る。

⑭**省みる** 上の部分は「小」ではなく「少」。省は他に「はぶ（く）」とも読む。

⑲**雷** よく似た字の「電」にならないよう注意。

⑳**大幅** 普通より幅の広いこと。

第5回 模擬テスト 解答・解説

本冊 P.90〜95

（一） 読み

① びさい
② たいきゅう
③ みんぞく
④ ふくしょく
⑤ けいしゃ
⑥ くじょ
⑦ びよく
⑧ せいぎょ
⑨ だつぼう
⑩ はっかん
⑪ ぼうかん
⑫ さんじょう
⑬ ぜつみょう
⑭ せんど
⑮ しりょ
⑯ かんこ
⑰ さいくつ
⑱ いぜん
⑲ ふ
⑳ あらなみ
㉑ せ
㉒ ほんごし
㉓ たくわ
㉔ ねいき
㉕ あとかた
㉖ かげ
㉗ おと
㉘ ふく
㉙ だま
㉚ こうむ

ワンポイント

読み

①**微細**　きわめて細かなこと。
③**民俗**　古くから伝わってきた風俗や習慣。
民族　言語や文化を共有し、同族意識を持つ集団。
④**服飾**　衣服・装身具。
⑥**駆除**　害を与えるものを追い払うこと。「駆」の訓読みは「駆（か）ける」。
⑨**脱帽**　敬意を表し帽子を脱ぐこと。
⑪**傍観**　手出しや口出しをせず、そばでながめること。
⑫**惨状**　むごいありさま。
⑰**採掘**　鉱物などを掘る。つちへんの「堀」との違いに注意。
⑱**依然**　前と変わらないさま。
⑲**噴く**　気体や液体が勢いよく出ること。音読みはフン。
㉚**被る**　災いなどが身に降りかかること。

（二） 同音・同訓異字

① イ
② エ
③ オ
④ エ
⑤ ウ
⑥ イ
⑦ イ
⑧ ア
⑨ ウ
⑩ ウ
⑪ ア
⑫ イ
⑬ イ
⑭ エ
⑮ オ

ワンポイント

同音・同訓異字

①**恩恵**　めぐみ。情け。
②**継承**　受け継ぐこと。
③**系統**　一連のつながり。血統。
④**刺す**　細長い棒状の物を差し込む。
⑤**避ける**　好ましくないものから離れる。
⑥**咲く**　つぼみが開く。
⑦**三振**　野球でストライクを3つ取られること。
⑧**慎重**　軽々しく行動しないこと。
⑨**余震**　大地震のあとに起こる小地震。
⑩**抱負**　心の中にある計画・決意。
⑪**大砲**　大きな弾丸を発射する兵器。
⑫**高峰**　高くそびえる峰。
⑬**隷属**　支配されて、言いなりになること。
⑭**麗人**　美しい女性。
⑮**礼金**　謝礼として出すお金。

（三） 漢字識別

① イ
② ウ
③ ケ
④ コ
⑤ カ

（四） 熟語の構成

① オ
② イ
③ ア
④ イ
⑤ イ
⑥ エ
⑦ エ
⑧ エ
⑨ ア
⑩ ウ

ワンポイント

漢字識別

①**不惑**　数え年で40歳。
③**凡例**　書物の巻頭にある編述の方針。ハンレイと読む。
凡夫　平凡な男性。
④**為政**　政治を行うこと。
人為　人のしわざ。
作為　故意に手を加えること。

熟語の構成

①**不順**…順調でない
②**存亡**…存続⇔滅亡
③**鋭敏**…鋭い＝敏感
④**経緯**…縦糸⇔横糸
⑤**雌雄**…メス⇔オス
転じて、勝敗の意味。
⑥**製菓**…
製造する←菓子を
⑦**仰天**…あおぐ←天を
⑧**抜群**…抜く←群を
⑨**救援**…救う＝支援する
⑩**騒音**…騒がしい→音

(五) 部首

① エ
② エ
③ エ
④ ア
⑤ ア
⑥ ウ
⑦ ア
⑧ イ
⑨ ウ
⑩ ア

(六) 対義語・類義語

① 凶
② 留
③ 洋
④ 舞
⑤ 齢
⑥ 丈
⑦ 奮
⑧ 輸
⑨ 筋
⑩ 束

(七) 送りがな

① 裁く
② 垂れ
③ 過ごし
④ 築く
⑤ 腐る

ワンポイント

部首

①**豪**
部首は豕（ぶた）。イノシシの意味。
②**鬼**
部首は鬼（おに）。
③**却**
部首は卩（ふしづくり）。

対義語

①**柔和** ⇔ **凶暴**
②**在宅** ⇔ **留守**
③**近海** ⇔ **遠洋**
④**客席** ⇔ **舞台**
⑤**若年** ⇔ **老齢**

類義語

⑥**健康** ＝ **丈夫**
⑦**逆上** ＝ **興奮**
⑧**運搬** ＝ **輸送**
⑨**道理** ＝ **筋道**
⑩**団結** ＝ **結束**

送りがな

②**垂れて**
垂れる、垂らす、の区別がつくように送りがなを書く。

(八) 四字熟語

① 息
② 異
③ 寸
④ 退
⑤ 雑
⑥ 起
⑦ 用
⑧ 抗
⑨ 温
⑩ 諸

(九) 誤字訂正

	誤		正
①	解	↓	改
②	機	↓	危
③	源	↓	現
④	集	↓	収
⑤	往	↓	応

ワンポイント

四字熟語

①**無病息災**
病気をしないで健康であること。
②**同工異曲**
一見すると違うが、中身は同じであること。
③**舌先三寸**
うわべだけで中身がないこと。
④**一進一退**
状況が進んだり、もどったりすること。
⑤**悪口雑言**
たくさん悪口を言うこと。
⑥**七転八起**
何回失敗しても起き上がり立ち向かうこと。
⑦**問答無用**
話し合いをしても意味がないこと。
⑧**不可抗力**
人の力ではどうにもならない力や事態。
⑨**温故知新**
昔のことを学んで新しい知識や方法を発見すること。
⑩**諸行無常**
世の中のものは常に変わり続けること。

(十) 書き取り

① 急増
② 早速
③ 樹立
④ 要因
⑤ 拍手
⑥ 水滴
⑦ 弁明
⑧ 臨時
⑨ 閉鎖
⑩ 上旬
⑪ 祝福
⑫ 勇
⑬ 値札
⑭ 授
⑮ 勝
⑯ 預
⑰ 桃
⑱ 押
⑲ 米俵
⑳ 渡

ワンポイント

書き取り

②**早速**
すぐに。早はソウと読む場合が多く、サッと読む熟語は少ない。
③**樹立**
新しく作りあげること。
⑤**拍手**
賞賛して手をたたくこと。参拝の際に手をたたく場合は「柏手」という。
⑨**閉鎖**
閉ざすこと。「鎖」の右側は「貞」ではない点に注意。
⑩**上旬**
月の1日〜10日。
⑫**勇ましい**
勇敢である。送りがなにも注意。
⑭**授かる**
大切なものを与えられる。
⑯**預かる**
他人の物を返す時まで責任をもって守る。
⑱**押す**
右側は「田」ではなく「甲」。
⑳**渡る**
横切って向こう側へ移動する。

第6回 模擬テスト 解答・解説

本冊 P.96～101

(一) 読み

① こうき
② しゅうれい
③ ゆうえつ
④ ちょうしゅう
⑤ とこう
⑥ とうわく
⑦ はんしょく
⑧ はくしゃ
⑨ てんぽ
⑩ ひやく
⑪ こうせい
⑫ ぜにん
⑬ たんぱく
⑭ せんす
⑮ ちくせき
⑯ かしょ
⑰ よか
⑱ しゃくぜん
⑲ ひた
⑳ しずく
㉑ くさり
㉒ ほこ
㉓ いく
㉔ あやつ
㉕ なまり
㉖ まさ
㉗ かざ
㉘ まい
㉙ おに
㉚ おおやけ

ワンポイント

読み

①**光輝** かがやき。名誉。
②**秀麗** 一段と立派で美しいこと。
④**徴収** 税金・会費などを取り立てること。
⑪**恒星** 太陽のように、自分のエネルギーで輝く天体。
⑬**淡白** あっさりした味や色。さっぱりした性格。
⑱**釈然** 疑問が消えて心が晴れ晴れするさま。「釈然としない」と否定形で使うことが多い。
⑲**浸す** 水などにつける。
⑳**滴** 送りがなをつけずにシズクと読む。
㉑**鎖** 1字でクサリと読む、音読みはサ。
㉓**幾** いくつの。いくらの。
㉕**鉛** 金属元素の一つ。送りがなはつかない。

(二) 同音・同訓異字

① イ
② エ
③ ウ
④ エ
⑤ ア
⑥ ウ
⑦ ウ
⑧ エ
⑨ オ
⑩ イ
⑪ エ
⑫ ア
⑬ ウ
⑭ エ
⑮ ア

ワンポイント

同音・同訓異字

①**勧告** 相手に措置を取るよう勧めること。
②**歓呼** 喜んで大きな声を上げること。
③**環境** 人や自然を取り囲むまわりの状況。
④**根拠** よりどころ。
⑤**巨人** 体の大きな人。
⑥**選挙** 組織の代表者や役員を投票などで選ぶこと。
⑦**澄む** 濁りがなくなる。
⑧**透ける** 中や向こうが見える。
⑨**済む** 物事が完全に終わる。
⑩**濃密** 密度が濃いこと。充実して価値があること。
⑪**苦悩** 苦しみ悩むこと。
⑫**右脳** 大脳半球右側の通称。
⑬**微力** わずかな力しかないこと。
⑭**首尾** 初めと終わり。終始。
⑮**準備** 用意すること。

(三) 漢字識別

① イ
② ウ
③ コ
④ カ
⑤ ア

(四) 熟語の構成

① ウ
② イ
③ オ
④ エ
⑤ イ
⑥ オ
⑦ ア
⑧ エ
⑨ ウ
⑩ ウ

ワンポイント

漢字識別

②**高慢** うぬぼれて人を見下すこと。
慢性 よくも悪くもならずに長引いて治らない病気の状態。
③**仲介** 間に入って、とりつぐこと。
介在 物事の間にはさまって存在すること。
魚介 魚や貝など。「介」には「よろい」という意味があり、カニなども含まれる。

熟語の構成

①**砂丘**…砂の → 丘
②**功罪**…功績 ⇔ 罪
③**未踏**…踏まれていない。たどり着いた者がいない。
④**禁煙**…禁じる ← 喫煙を
※オ打ち消しとの混同に注意。
⑤**師弟**…師匠 ⇔ 弟子
⑥**不眠**…眠らない
⑦**油脂**…油 ＝ 脂
⑧**違約**…違う ← 約束と
⑨**鉄塔**…鉄の → 塔
⑩**筆跡**…筆の → 跡

(五) 部首

①エ ②ウ ③ウ ④エ ⑤ア
⑥エ ⑦ア ⑧イ ⑨ア ⑩エ

(六) 対義語・類義語

①鳴 ②参 ③陽 ④浮 ⑤断
⑥薄 ⑦較 ⑧遠 ⑨混 ⑩冒

(七) 送りがな

①曲げる ②訪ね ③交わす ④養う ⑤刺す

ワンポイント

部首

②**甘**
部首は甘（かん）。4級までで、この部首の字は「甘」だけ。

③**戒**
部首は戈（ほこづくり）。

対義語

①**歓声** ⇔ **悲鳴**
②**脱退** ⇔ **参加**
③**陰性** ⇔ **陽性**
④**沈殿** ⇔ **浮遊**
⑤**執着** ⇔ **断念**

類義語

⑥**冷淡** ＝ **薄情**
⑦**対照** ＝ **比較**
⑧**恒久** ＝ **永遠**
⑨**雑踏** ＝ **混雑**
⑩**最初** ＝ **冒頭**

送りがな

③**交わす**
ほかに「交（ま）ざる」「交（まじ）わる」とも読む。

(八) 四字熟語

①覧 ②死 ③段 ④横 ⑤奮
⑥儀 ⑦慮 ⑧落 ⑨刀 ⑩倒

(九) 誤字訂正

	誤		正
①	意	→	遺
②	格	→	確
③	係	→	警
④	誌	→	志
⑤	認	→	任

ワンポイント

四字熟語

①**博覧強記**
多くの本を読み、多くの知識があること。

②**起死回生**
危機的な状態からよい方向に立て直すこと。

③**無理算段**
苦しい状況で物事やお金をやりくりすること。

④**縦横無尽**
自由自在に動き回ったり、物事を進める様子。

⑤**力戦奮闘**
すべての力で戦うこと。

⑥**他人行儀**
他人に接するようによそよそしいこと。

⑦**思慮分別**
注意深く考えて決めること。

⑧**一件落着**
とある物事が決着すること。

⑨**単刀直入**
回り道をせずに、いきなり本題に入ること。

⑩**本末転倒**
物事の本質とそうでないことをはき違えること。

(十) 書き取り

①痛快 ②貯蔵 ③著作 ④視野 ⑤独占 ⑥遅刻 ⑦応援 ⑧外泊 ⑨民衆 ⑩賛否 ⑪玄関 ⑫度重 ⑬背中 ⑭抱 ⑮門出 ⑯絹 ⑰胸元 ⑱汚 ⑲触 ⑳誇

ワンポイント

書き取り

①**痛快**
胸がすっとして、非常にゆかい。

③**著作**
本を書くこと。書物。

⑤**独占**
ひとりじめにすること。

⑧**外泊**
いつもと違う場所で寝ること。「拍」「白」との混同に注意。

⑨**民衆**
一般の人々。「民集」は裁判の判例集の意味で、別の言葉。

⑩**賛否**
賛成と不賛成。「賛否両論」としても登場する。

⑭**抱く**
他に「抱（かか）える」「抱（いだ）く」とも読む。

⑮**門出**
旅に出ること。旅立ち。「問」と「門」の書き間違えに注意。

⑱**汚い**
右側の字形に注意しよう。

⑲**触れる**
軽くくっつく。

第7回 模擬テスト 解答・解説

本冊 P.102~107

(一) 読み

① ひってき
② えんせい
③ かいきん
④ はんぼう
⑤ きがん
⑥ けいこう
⑦ けいはく
⑧ せいえん
⑨ とうえい
⑩ そくおう
⑪ まんさい
⑫ とう
⑬ とうひ
⑭ れっとう
⑮ えっきょう
⑯ いんそつ
⑰ しょくはつ
⑱ しんこう
⑲ どくせん
⑳ もめん
㉑ そ
㉒ ふ
㉓ せま
㉔ おおづ
㉕ よわた
㉖ まど
㉗ ではら
㉘ すじちが
㉙ と
㉚ くわ

ワンポイント

読み

①**匹敵** 能力や価値などが同程度であること。ヒツは音読み。訓読みではヒキ。

③**皆勤** 一日も休まず出勤・出席すること。

④**繁忙** 用事が多いこと。訓読み「忙（いそが）しい」もよく出る。

⑦**軽薄** 態度に重みや慎重さがなく、軽々しいこと。

⑩**即応** 状況に応じてすばやく行動すること。

⑯**引率** 引き連れること。「率」はリツとも読む。

⑳**木綿** 「木」は本来はモと読まない。熟語にあてはめられた読みを熟字訓という。

㉘**筋違い** 「筋」は音読みのキンもよく出る。

㉙**捕る** 「つか（まえる）」「と（らえる）」とも読む。

(二) 同音・同訓異字

① ウ
② イ
③ オ
④ ア
⑤ ウ
⑥ オ
⑦ エ
⑧ イ
⑨ ア
⑩ イ
⑪ エ
⑫ オ
⑬ エ
⑭ ア
⑮ ウ

ワンポイント

同音・同訓異字

①**介助** そばで世話をすること。

②**全快** 病気や傷が完全に治ること。

③**階段** 段になった通路。

④**誇示** 得意になって見せること。

⑤**太鼓** たたいて鳴らす楽器。

⑥**故意** わざとすること。

⑦**趣味** 楽しみで愛好すること。好み。

⑧**朱肉** 朱色のインクを染み込ませたもの。印鑑用。

⑨**首席** 最上の席。一番。

⑩**呼称** 呼び名。

⑪**召集**…天皇が集めること。国会の召集。
招集…集めること。仲間の招集。

⑫**紹介** 未知の物を教え知らせる。

⑬**溶かす** 固体を液状にする。

⑭**説く** 物事の筋道を話して、わからせる。

⑮**執る** 手に持って仕事をする。

(三) 漢字識別

① イ
② キ
③ ク
④ オ
⑤ カ

(四) 熟語の構成

① エ
② イ
③ ウ
④ ウ
⑤ ア
⑥ ア
⑦ イ
⑧ ア
⑨ オ
⑩ ア

ワンポイント

漢字識別

①**欄干** 橋などに付けた手すり。

②**鑑賞** 芸術作品を楽しむこと。「観賞」は単に見て楽しむこと。

③**怒号** 怒ってどなること。
怒気 怒った様子。

熟語の構成

①**耐火**…耐える←火に
②**攻守**…攻め⇔守り
③**鋭角**…鋭い→角度
④**汚点**…汚い→点
⑤**新鮮**…新しい＝鮮度
⑥**比較**…比＝較
「較」も「比べる」という意味。
⑦**濃淡**…濃い⇔淡い
⑧**思慮**…思う＝慮（考える）
⑨**不沈**…沈まない
⑩**別離**…別れ＝離れる

(五) 部首

①エ ②エ ③ウ ④エ ⑤エ ⑥イ ⑦イ ⑧ウ ⑨ア ⑩ア

(六) 対義語・類義語

①床 ②眠 ③好 ④鎖 ⑤革 ⑥抜 ⑦堅 ⑧従 ⑨憶 ⑩静

(七) 送りがな

①縮む
②抱く
③明らかに
④導く
⑤頼り

ワンポイント

部首

①**再**
ひと目ではわかりにくいが、部首は冂（どうがまえ）。

③**更**
部首は曰（いわく・ひらび）。これもわかりにくいので注意。

対義語

①**就寝** ⇔ 起床
②**誕生** ⇔ 永眠
③**不振** ⇔ 好調
④**開放** ⇔ 閉鎖
⑤**保守** ⇔ 革新

類義語

⑥**屈指** ＝ 抜群
⑦**地道** ＝ 堅実
⑧**隷属** ＝ 服従
⑨**推量** ＝ 憶測
⑩**沈着** ＝ 冷静

送りがな

①**縮む**
「縮（ちぢ）まる」「縮（ちぢ）める」などの読み方もある。

③**明らかに**
「…らか」「…やか」は送りがなになる。

(八) 四字熟語

①前 ②花 ③今 ④心 ⑤旧 ⑥状 ⑦分 ⑧吐 ⑨温 ⑩天

(九) 誤字訂正

	誤		正
①	確	→	格
②	官	→	管
③	裁	→	済
④	小	→	将
⑤	送	→	想

ワンポイント

四字熟語

①**前人未到**
今までにだれもなしとげていないこと。

②**花鳥風月**
美しい自然の景色。

③**古今東西**
過去から今までと、すべての場所で。

④**小心翼々**
気が小さくておびえているさま。

⑤**名所旧跡**
きれいな景色や由来のある場所のこと。

⑥**現状維持**
現在の状態を保つこと。

⑦**大義名分**
行動を起こす際に正当性を通すための道理。

⑧**音吐朗々**
声が豊かでさわやかなさま。

⑨**三寒四温**
寒い日が三日続いた後は、暖かい日が四日ほどあること。冬から春の季候。

⑩**驚天動地**
世の中をあっと言わせること。

(十) 書き取り

①輸送 ②複雑 ③舞台 ④交互 ⑤優秀 ⑥創立 ⑦墓穴 ⑧演奏 ⑨過密 ⑩化身 ⑪粒子 ⑫脱走 ⑬輝 ⑭額 ⑮照 ⑯盛 ⑰基 ⑱扱 ⑲務 ⑳度

ワンポイント

書き取り

①**輸送**
人や物を運び送ること。「輪」と間違えないように注意。

③**舞台**
ステージ。「舞」の下側の形を正確に覚える。

④**交互**
たがいちがい。

⑦**墓穴**
墓の穴。「墓穴をほる＝自滅する」がよく出る。

⑨**過密**
よく似た「蜜」との混同に注意。

⑩**化身**
神などが姿を変えて現れること。

⑪**粒子**
物を形づくる要素としての細かいつぶ。

⑭**額**
おでこ。「額縁」「金額」などの熟語も出る。

⑮**照れる**
「れる」が送りがなになる。

⑯**盛る**
積み上げる。読み問題でもよく出る。

弱点が見つかる！　ミニテスト採点表

	読み	同音・同訓異字	漢字識別	対義語・類義語	熟語の構成	部首	送りがな	誤字訂正	四字熟語	書き取り
1回	/10	/12		/10		/10		/16		/16
2回	/10		/10	/10			/20		/20	/16
3回	/10	/12		/10	/22				/20	/16
4回	/10	/12		/10		/10		/16		/16
5回	/10		/10	/10			/20		/20	/16
6回	/10	/12		/10	/22				/20	/16
7回	/10	/12		/10		/10		/16		/16
8回	/10		/10	/10			/20		/20	/16
9回	/10	/12		/10	/22				/20	/16
10回	/10	/12		/10		/10		/16		/16
小計	目標：90/100	目標：76/84	目標：27/30	目標：80/100	目標：53/66	目標：36/40	目標：42/60	目標：52/64	目標：84/120	目標：128/160
得点率	%	%	%	%	%	%	%	%	%	%

	読み	同音・同訓異字	漢字識別	対義語・類義語	熟語の構成	部首	送りがな	誤字訂正	四字熟語	書き取り
11回	/10		/10	/10			/20		/20	/16
12回	/10	/12		/10	/22				/20	/16
13回	/10	/12		/10		/10		/16		/16
14回	/10		/10	/10			/20		/20	/16
15回	/10	/12		/10	/22				/20	/16
16回	/10	/12		/10		/10		/16		/16
17回	/10		/10	/10			/20		/20	/16
18回	/10	/12		/10	/22				/20	/16
19回	/10	/12		/10		/10		/16		/16
20回	/10		/10	/10			/20		/20	/16
小計	目標：90/100	目標：65/72	目標：36/40	目標：80/100	目標：53/66	目標：27/30	目標：56/80	目標：39/48	目標：98/140	目標：128/160
得点率	%	%	%	%	%	%	%	%	%	%

	読み	同音・同訓異字	漢字識別	対義語・類義語	熟語の構成	部首	送りがな	誤字訂正	四字熟語	書き取り
21回	/10	/12		/10	/22				/20	/16
22回	/10	/12		/10		/10		/16		/16
23回	/10		/10	/10			/20		/20	/16
24回	/10	/12		/10	/22				/20	/16
25回	/10	/12		/10		/10		/16		/16
26回	/10		/10	/10			/20		/20	/16
27回	/10	/12		/10	/22				/20	/16
28回	/10	/12		/10		/10		/16		/16
29回	/10		/10	/10			/20		/20	/16
30回	/10	/12		/10	/22				/20	/16
小計	目標：90/100	目標：76/84	目標：27/30	目標：80/100	目標：71/88	目標：27/30	目標：42/60	目標：39/48	目標：98/140	目標：128/160
得点率	%	%	%	%	%	%	%	%	%	%